7세 자녀들의 도형·비교·시계·규칙을 함께할 초능력 쌤입니다

초능력 쌤의 도형 • 비교 • 시계 • 규칙 개념 활동 동영상 강의

선생님, 우리 아이에게 도형·비교·시계·규칙을 열심히 설명해 주는데, 아이가 전혀 이해를 못해요.

걱정하지 마세요. 지금부터 초능력 쌤인 제가 7세 자녀들의 눈높이에 맞춰 도형·비교·시계·규칙 원리를 재미있게 설명해 줄 거예요.

우리 아이가 동영상 강의에 집중하지 못하면 어떡하죠?

7세 자녀들이 흥미를 가질 수 있도록 교구나 활동 자료로 원리를 설명하니 걱정하지 마세요. 그리고 7세 자녀들이 집중할 수 있는 시간에 맞게 짧고 쉽게 설명하고 있어요.

초능력 쌤~ 정말 감사합니다! 이제 우리 아이도 도형·비교·시계·규칙을 잘 할 거 같아요. ^^

7세 초능력 도형·비교·시계·규칙 무료 스마트러닝 접속 방법

방법 1

동아출판 홈페이지 www.bookdonga.com에 접속하면 7세 초능력 도형·비교·시계·규칙 무료 동영상 강의를 이용할 수 있습니다.

방법 2

핸드폰이나 태블릿으로 **교재 표지나 본문에 있는 QR코드**를 찍으면 무료 스마트러닝에서 개념 활동 동영상 강의를 이용할 수 있습니다.

초능력 쌤과 키우자, 공부힘!

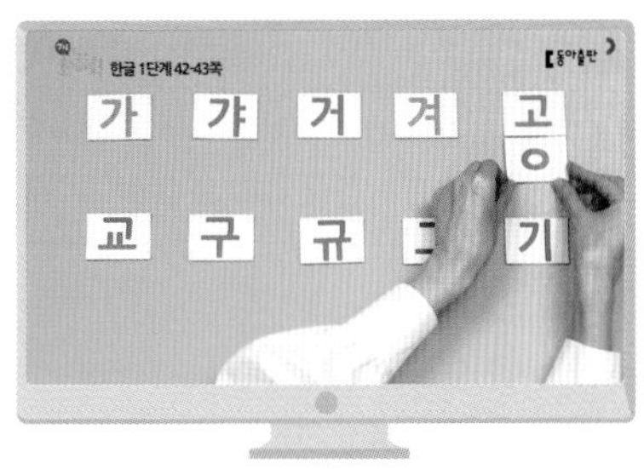

한글 | 글자의 짜임 강의

- 글자 카드를 활용하여 쉽고 재미있게 한글 원리 강의
- 받침과 쌍자음, 복잡한 모음이 들어간 글자 짜임 방식 완벽 이해

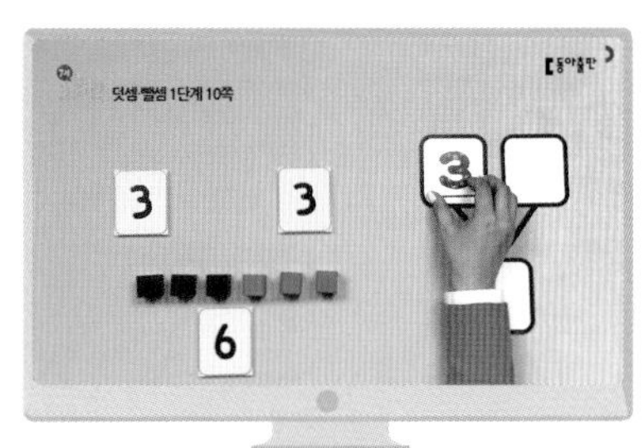

덧셈·뺄셈 | 개념 활동 강의

- 그림과 교구를 활용한 활동으로 덧셈·뺄셈 원리 강의
- 구체물을 활용한 짧고 쉬운 설명으로 덧셈·뺄셈 문제 완벽 이해

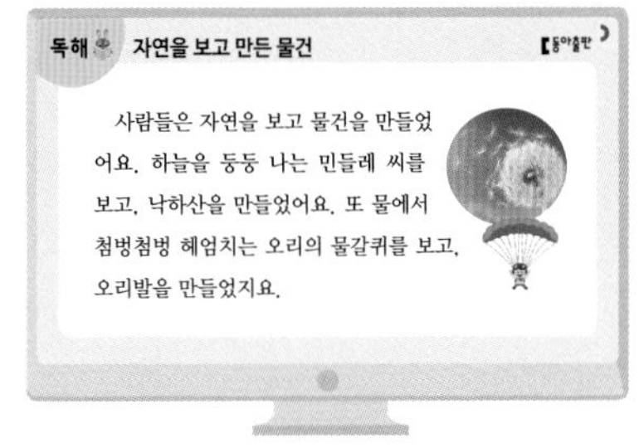

유아 독해 | 비디오북

- 생활 글 전 지문, 동화 전체 수록 작품 비디오북 제공
- 비디오북을 보며 글에 집중하여 따라 읽고 독해력 향상

도형·비교·시계·규칙 | 개념 활동 강의

- 그림과 교구를 활용한 활동으로 도형·비교·시계·규칙 원리 강의
- 구체물을 활용한 짧고 쉬운 설명으로 도형·비교·시계·규칙 문제 완벽 이해

놀이 한자 | 한자 챈트

- 그림으로 상형 문자인 기초 한자를 생생하게 이해
- 한자의 모양·뜻·소리를 동시에 효과적으로 학습

엄마랑 둘이 학습하는 한글 쓰기 / 창의력·집중력

- **한글 쓰기** 실생활에서 많이 쓰이는 132개 낱말의 짜임과 순서를 자세하고 쉽게 이해
- **창의력·집중력** 7세의 창의력과 집중력을 동시에 향상시킬 수 있는 두뇌 계발 교재

의 수학책

✱ 공부한 날에 맞게 날짜를
쓰고 결과에 맞게 색칠하세요.

일차	공부한 날		
1일	/	○	○
2일	/	○	○
3일	/	○	○
4일	/	○	○
5일	/	○	○
6일	/	○	○
7일	/	○	○
8일	/	○	○
9일	/	○	○
10일	/	○	○
11일	/	○	○
12일	/	○	○
13일	/	○	○
14일	/	○	○
15일	/	○	○
16일	/	○	○
17일	/	○	○
18일	/	○	○
19일	/	○	○
20일	/	○	○

일차	공부한 날		
21일	/	○	○
22일	/	○	○
23일	/	○	○
24일	/	○	○
25일	/	○	○
26일	/	○	○
27일	/	○	○
28일	/	○	○
29일	/	○	○
30일	/	○	○
31일	/	○	○
32일	/	○	○
33일	/	○	○
34일	/	○	○
35일	/	○	○
36일	/	○	○
37일	/	○	○
38일	/	○	○
39일	/	○	○
40일	/	○	○

※ 모양 따라 오린 후 반으로 접어서 책갈피로 활용하세요!

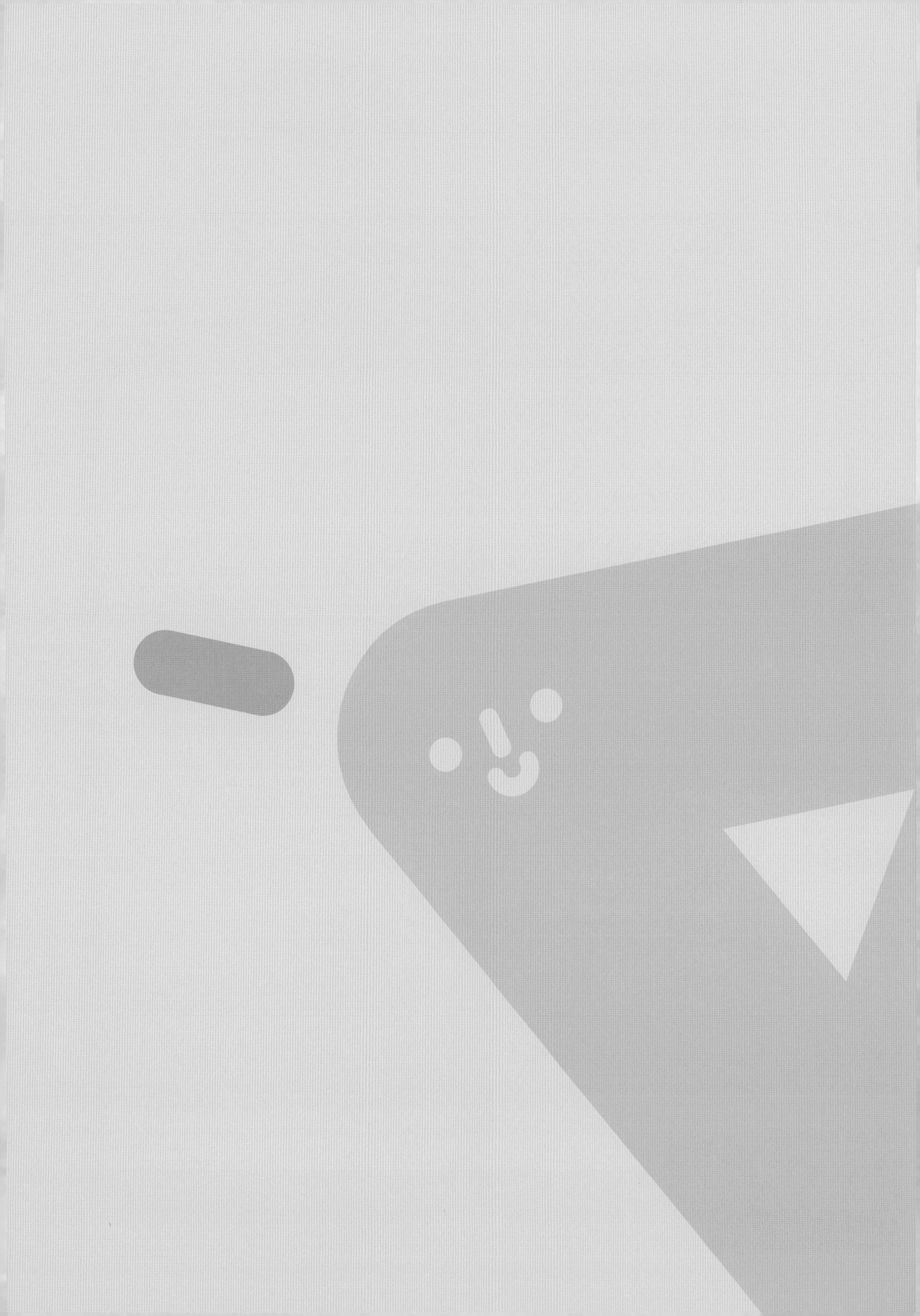

공부가 쉬워지는 준비물

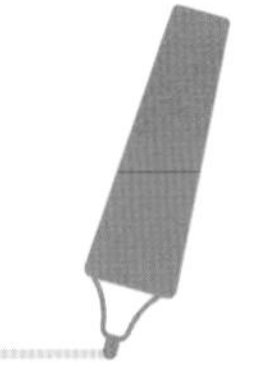

사인펜으로 그리고 지워 보며 시각을 익혀요.

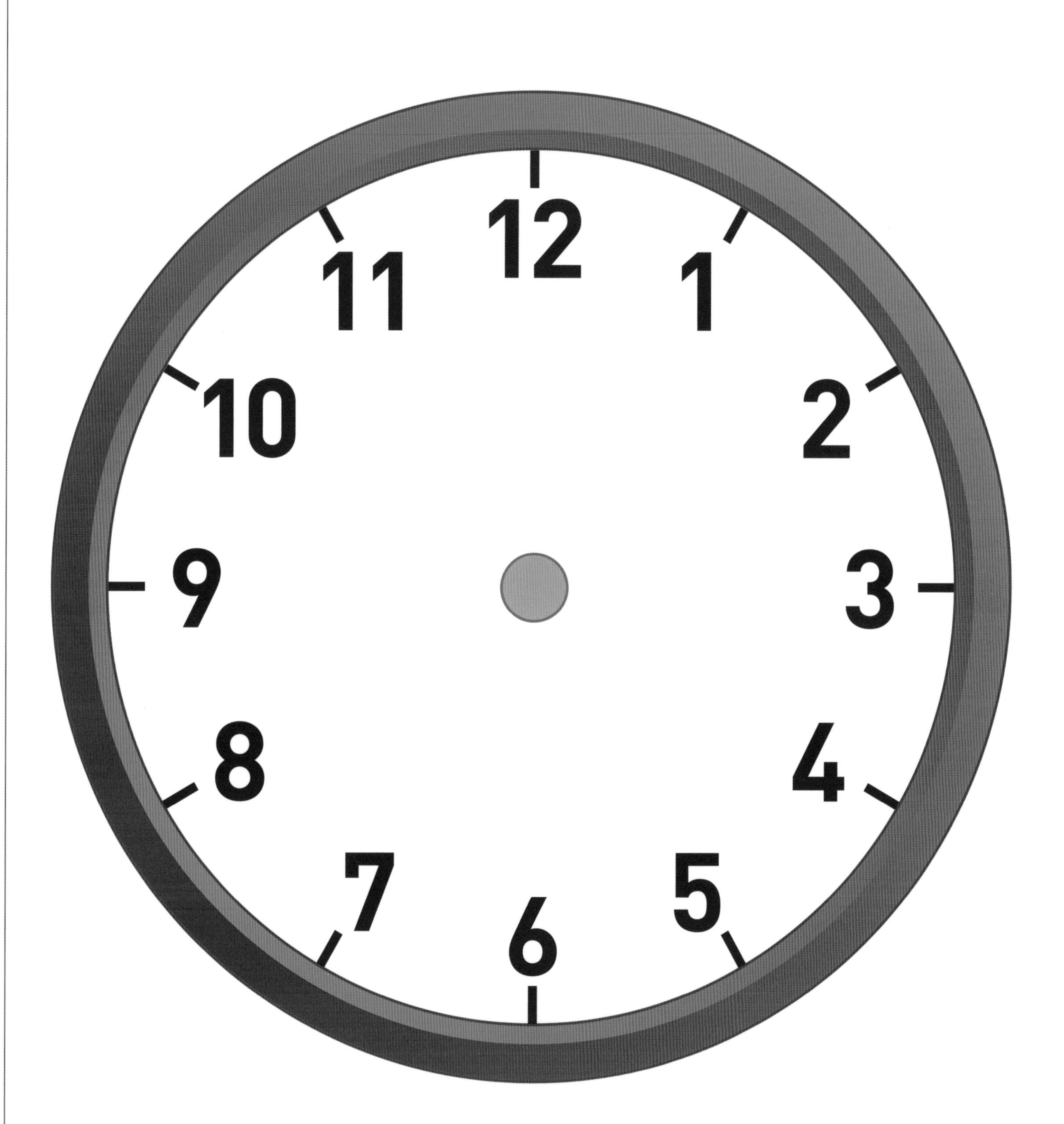

7세 초능력

도형·비교 시계·규칙

시계 보기·규칙 알기

2권

7세

7세 초능력 수학 한눈에 보기

덧셈 • 뺄셈

초등학교 수학의 기초인 연산을 위해 필수적인 것으로만 구성한 덧셈 • 뺄셈입니다. 받아올림/받아내림으로 구분하여 단계적으로 접근할 수 있습니다.

1단계 받아올림/받아내림이 없는 덧셈·뺄셈

주제1	한 자리 수의 덧셈
주제2	한 자리 수의 뺄셈
주제3	두 자리 수의 덧셈
주제4	두 자리 수의 뺄셈

2단계 받아올림/받아내림이 있는 덧셈·뺄셈

주제5	10의 덧셈과 뺄셈
주제6	세 수의 덧셈과 뺄셈
주제7	받아올림이 있는 덧셈
주제8	받아내림이 있는 뺄셈

도형 • 비교 • 시계 • 규칙

초등학교 1학년에서 배우는 입체도형/평면도형의 여러 가지 모양과 크기, 길이, 무게 등의 비교에 대해 알아보고, 일상생활에서도 중요한 시계 보기와 규칙에 대해 연습할 수 있습니다.

1권 입체도형과 평면도형·비교하기

주제1	입체도형과 평면도형
주제2	비교하기

2권 시계 보기·규칙 알기

주제3	시계 보기
주제4	규칙 알기

7세 초능력 도형·비교·시계·규칙 | 구성

그림과 질문으로 호기심을 유발해요

토끼야! 어서 일어나~
토끼는 거북과의 경주 중에
잠시만 자고 가기로 했어요.
도착

아이들에게 친숙한 이야기로 공부에 대한 부담감을 줄여 주고 즐겁게 시작할 수 있어요.

• 무엇을 알게 될까요?
토끼와 거북의 이야기를
있다는 것과 **시계의 수**를
됩니다.

• 언제 배우나요?
이번에 공부할 내용은 **초등**

• 학부모님만 보세요.
해당 주제의 핵심 학습 내용 및 연관된 초등학교 수학 교과 단원을 알려 드려요.

그림으로 원리를 이해하고, 문제를 풀어요

그림을 살펴보는 활동을 통해 원리를 이해하고, 제시된 문제를 해결하면서 수학적 개념을 익힐 수 있어요.

• 개념 활동 강의
QR코드를 찍으면 개념을 이해하는 데 도움이 되는 강의를 볼 수 있어요.

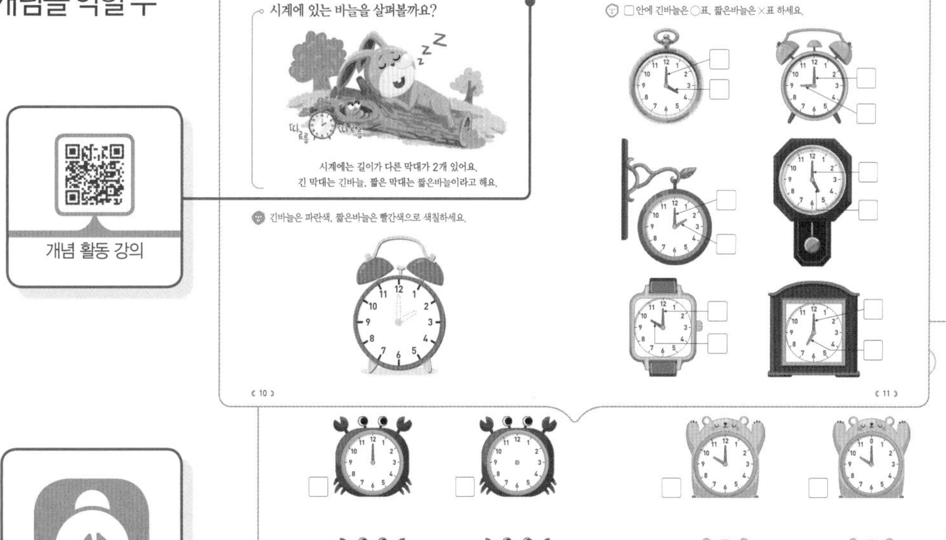

• 학부모님 tip
아이가 이해하기 쉽게 그대로 설명해 주세요.

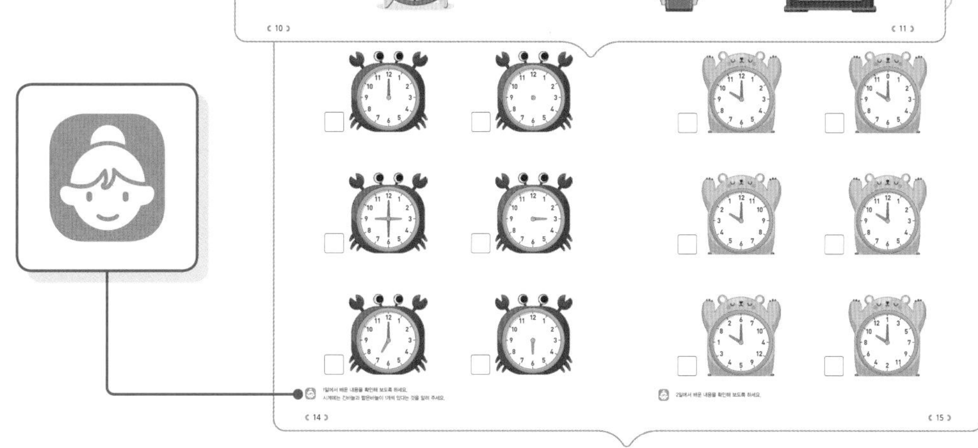

7세 초능력 도형·비교·시계·규칙 | 차례

1권 입체도형과 평면도형·비교하기

주제 1 입체도형과 평면도형

주제 2 비교하기

2권 시계 보기·규칙 알기

주제 3 시계 보기

주제 4 규칙 알기

의

맨 처음 수학책

주제

시계 보기

토끼야! 어서 일어나~

토끼는 거북과의 경주 중에
잠시만 자고 가기로 했어요.

- **무엇을 알게 될까요?**

  토끼와 거북의 이야기를 통해 토끼가 잠에서 깨기 위해 놓아 둔 시계에서 **긴바늘과 짧은바늘**이 있다는 것과 **시계의 수**를 이해하고 시계의 수에 두 바늘을 움직여 **시각**을 나타낸다는 것을 알게 됩니다.

- **언제 배우나요?**

  이번에 공부할 내용은 **초등학교 1학년 2학기 5단원 시계 보기와 규칙 찾기** 단원에서 배우게 됩니다.

거북은 부지런히 달려 결승점에
도착하려고 해요.
시계야~, 토끼를 빨리 깨워 줘.
도착

1일 시곗바늘

시계에 있는 바늘을 살펴볼까요?

시계에는 길이가 다른 막대가 2개 있어요.
긴 막대는 긴바늘, 짧은 막대는 짧은바늘이라고 해요.

긴바늘은 파란색, 짧은바늘은 빨간색으로 색칠하세요.

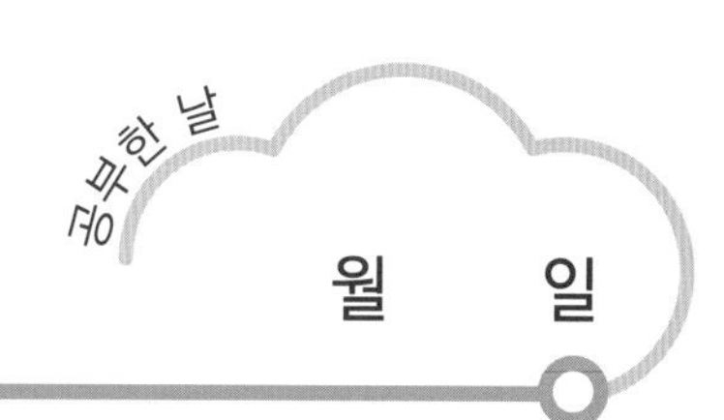

정답 96쪽

□ 안에 긴바늘은 ○표, 짧은바늘은 ×표 하세요.

2일 시계의 수

개념 활동 강의

시계에 있는 수를 알아볼까요?

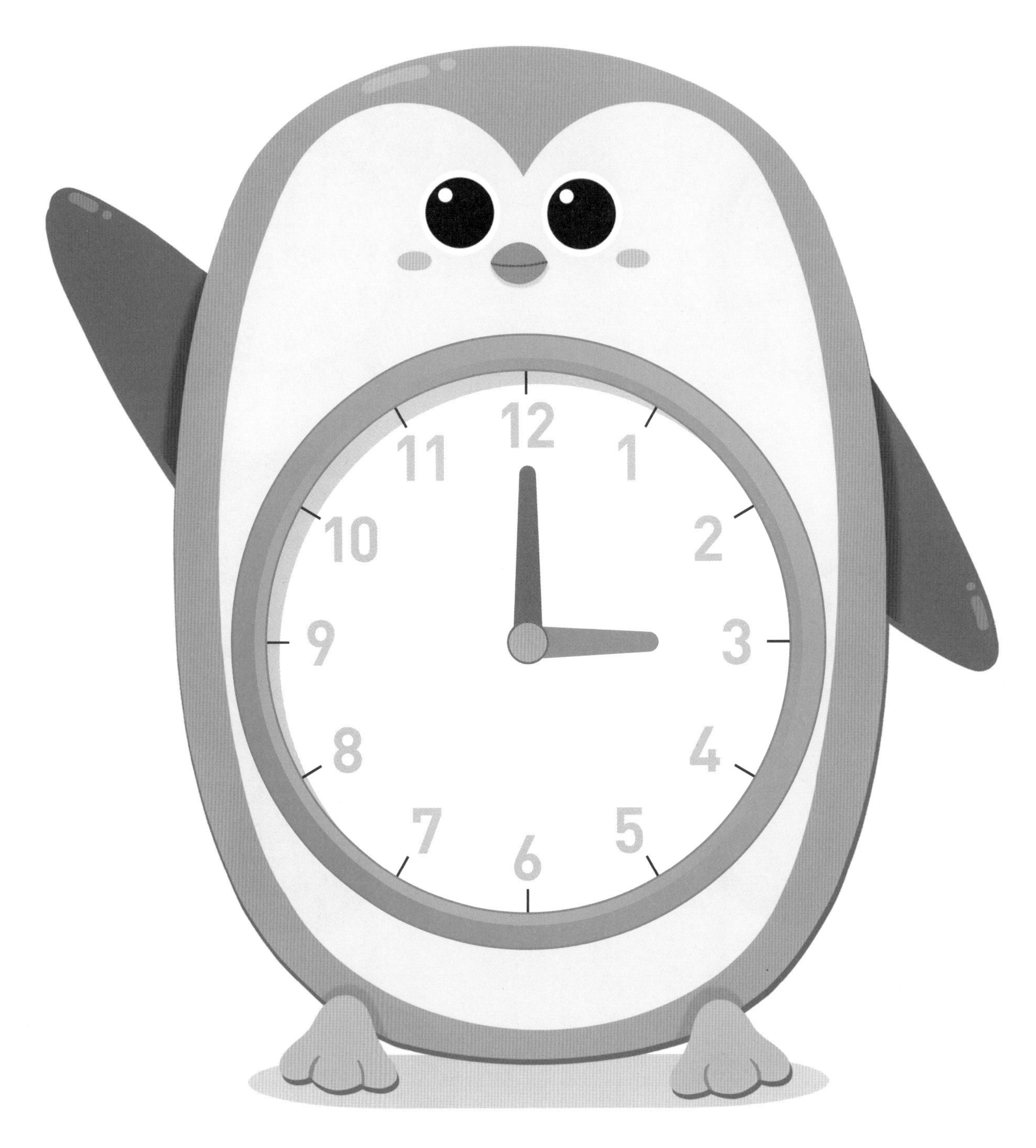

시계에서 볼 수 있는 수는 1부터 12까지예요.
수는 순서대로 나와 있어요.

시계의 수는 위가 12이고 그 오른쪽에 1이 있어서 오른쪽으로 돌아가며 순서대로 놓여 있다는 점을 알려 주세요.

정답 96쪽

시계의 ☐ 안에 알맞게 수를 쓰세요.

3일 바른 시계

바늘이 바르게 된 시계를 찾아 ◯표 하세요.

1일에서 배운 내용을 확인해 보도록 하세요.
시계에는 긴바늘과 짧은바늘이 1개씩 있다는 것을 알려 주세요.

정답 96쪽

수가 바르게 된 시계를 모두 찾아 ◯표 하세요.

2일에서 배운 내용을 확인해 보도록 하세요.

4일 몇 시인 바늘시계

개념 활동 강의

시계의 바늘은 몇 시를 가리킬까요?

시계의 짧은바늘은 시를 나타내요.
긴바늘이 12를 가리킬 때 짧은바늘이 가리키는 수를 따라
몇 시라고 해요.

☐ 안에 짧은바늘이 가리키는 수를 찾아 몇 시인지 쓰세요.

3 시

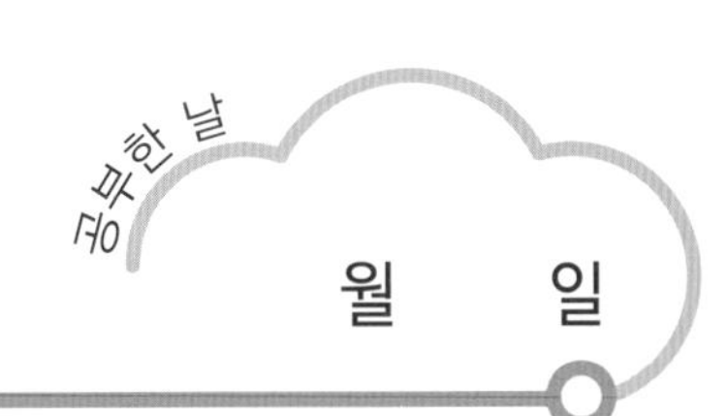

☐ 안에 알맞은 수를 쓰고, 시계의 시각을 읽어 보세요.

시곗바늘 그리기①

개념 활동 강의

4시가 되도록 짧은바늘을 그려 볼까요?

몇 시일 때 긴바늘은 12를 가리키고,
짧은바늘은 몇을 가리켜요.

'○시'를 시계로 나타내는 연습이에요. 짧은바늘을 직접 그려 보게 하고, 짧은바늘이 가리키는 수를 이해하도록 하세요.

정답 97쪽

시각에 맞게 짧은바늘을 그리세요.

시각 읽기①

개념 활동 강의

몇 시인지 소리 내어 읽어 볼까요?

긴바늘이 12를 가리키고 짧은바늘이 1을 가리킬 때
한 시라고 읽어요.

□ 안에 시계의 시각을 알맞게 쓰세요.

시계의 수를 읽을 때에는 하나 시, 둘 시, 셋 시……가 아니라 한 시, 두 시, 세 시……라고 읽어요.

정답 97쪽

시계를 바르게 읽은 시각을 찾아 ◯표 하세요.

2시 3시

4시 8시

6시 9시

여덟 시 다섯 시

일곱 시 아홉 시

열한 시 열두 시

7일

몇 시인 디지털시계

디지털시계는 몇 시를 어떻게 나타낼까요?

디지털시계는 바늘 대신 수로 시각을 나타내요.
디지털시계의 오른쪽에 적힌 수가 00일 때,
왼쪽에 적힌 수를 따라 몇 시라고 해요.

□ 안에 디지털시계의 왼쪽에 적힌 수를 보고 몇 시인지 쓰세요.

10 시

정답 98쪽

☐ 안에 알맞은 수를 쓰고, 시계의 시각을 읽어 보세요.

☐ 시

☐ 시

☐ 시

☐ 시

☐ 시

☐ 시

8일 같은 시각끼리 선 잇기①

개념 활동 강의

두 시계는 몇 시를 나타낼까요?

두 시계는 모양이 다르지만 같은 시각을 나타내요.
왼쪽 시계는 짧은바늘이 나타내는 수를,
오른쪽 시계는 :의 왼쪽에 있는 수를 보면
몇 시인지 알 수 있어요.

□ 안에 알맞은 수를 쓰고, 시계의 시각을 읽어 보세요.

[7] 시

빈칸에 수를 써넣고, 시각을 소리내어 읽어 보도록 하세요.

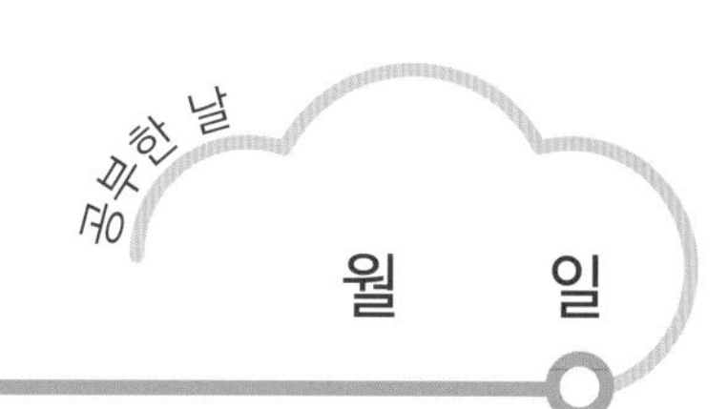

정답 98쪽

똑같은 시각을 나타내는 시계끼리 선으로 연결하세요.

9일 시각 읽어 길 찾기①

시계의 시각을 바르게 읽은 쪽을 따라 선을 그어 미로를 탈출하세요.

시계를 보고 시각을 바르게 읽은 쪽의 길로 나아가도록 해 주세요.

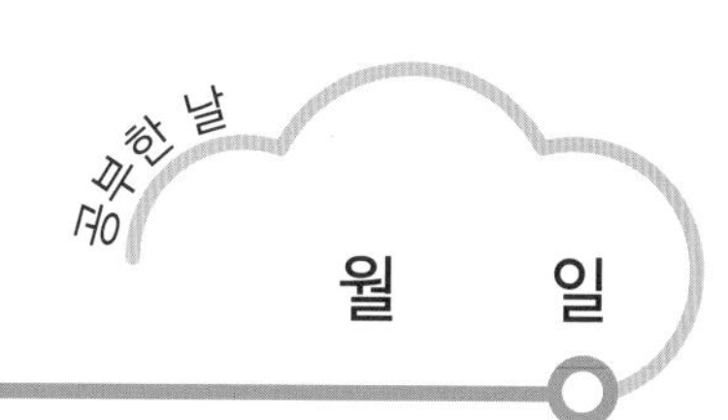

정답 98쪽

시각에 맞는 시계 그림을 따라 선을 그어 미로를 탈출하세요.

시각을 보고 맞는 시계가 있는 길로 나아가도록 해 주세요.

10일 몇 시 30분인 바늘시계

개념 활동 강의

시계의 바늘은 몇 시 30분을 가리킬까요?

시계의 긴바늘은 분을 나타내요.
긴바늘이 6을 가리킬 때 짧은바늘이 지나온 쪽의
수를 따라 몇 시 30분이라고 해요.

□ 안에 알맞은 수를 써넣어 몇 시 몇 분인지 쓰세요.

[1] 시 [30] 분

정답 99쪽

□ 안에 알맞은 수를 써넣어 몇 시 몇 분인지 쓰세요.

시 분

시 분

시 분

시 분

시 분

시곗바늘 그리기②

개념 활동 강의

3시 30분이 되도록 긴바늘을 그려 볼까요?

3시 30분일 때 짧은바늘은 3과 4 사이를 가리키고,
긴바늘은 6을 가리켜요.

긴바늘을 직접 그려 보게 하고, 짧은바늘이 ○와 △ 사이일 때 '○시'를 나타낸다는 것을 가르쳐 주세요.

정답 99쪽

시각에 맞게 긴바늘을 그리세요.

3시 30분

5시 30분

8시 30분

11시 30분

10시 30분

12시 30분

시각 읽기②

개념 활동 강의

몇 시 30분인지 소리 내어 읽어 볼까요?

긴바늘이 6을 가리키고 짧은바늘이 2와 3 사이를 가리킬 때
두 시 삼십 분이라고 읽어요.

☐ 안에 시계의 시각을 알맞게 쓰세요.

쓰기 [2] 시 [30] 분   읽기 [두] 시 [삼십] 분

정답 99쪽

시계를 바르게 읽은 시각을 찾아 ◯표 하세요.

1시 30분

2시 30분

6시 30분

7시 30분

여덟 시 삼십 분

아홉 시 삼십 분

열 시 삼십 분

열한 시 삼십 분

시계를 바르게 읽은 시각을 찾아 소리 내어 읽어 보도록 하세요.

13일 몇 시 30분인 디지털시계

개념 활동 강의

디지털시계는 몇 시 30분을 어떻게 나타낼까요?

디지털시계는 바늘 대신 수로 시각을 나타내요.
디지털시계의 오른쪽에 적힌 수가 30일 때,
왼쪽에 적힌 수를 따라 몇 시 30분이라고 해요.

□ 안에 디지털시계에 적힌 수를 보고 몇 시 몇 분인지 쓰세요.

10 시 30 분

정답 100쪽

□ 안에 알맞은 수를 쓰고, 시계의 시각을 읽어 보세요.

□ 시 □ 분

□ 시 □ 분

□ 시 □ 분

□ 시 □ 분

□ 시 □ 분

□ 시 □ 분

14일 같은 시각끼리 선 잇기②

두 시계는 몇 시 30분을 나타낼까요?

두 시계는 모양이 다르지만 같은 시각을 나타내요.
왼쪽 시계는 짧은바늘이 나타내는 수를,
오른쪽 시계는 :의 왼쪽에 있는 수를 보면
몇 시 30분인지 알 수 있어요.

□ 안에 알맞은 수를 쓰고, 시계의 시각을 읽어 보세요.

7 시 30 분

빈칸에 수를 써넣고, 시각을 소리 내어 읽어 보도록 하세요.

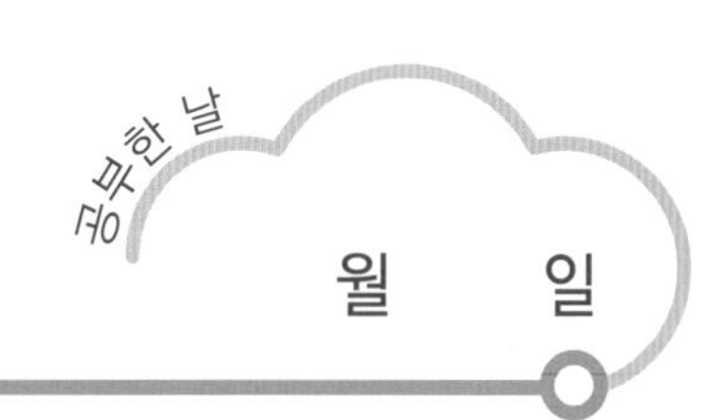

정답 100쪽

똑같은 시각을 나타내는 시계끼리 선으로 연결하세요.

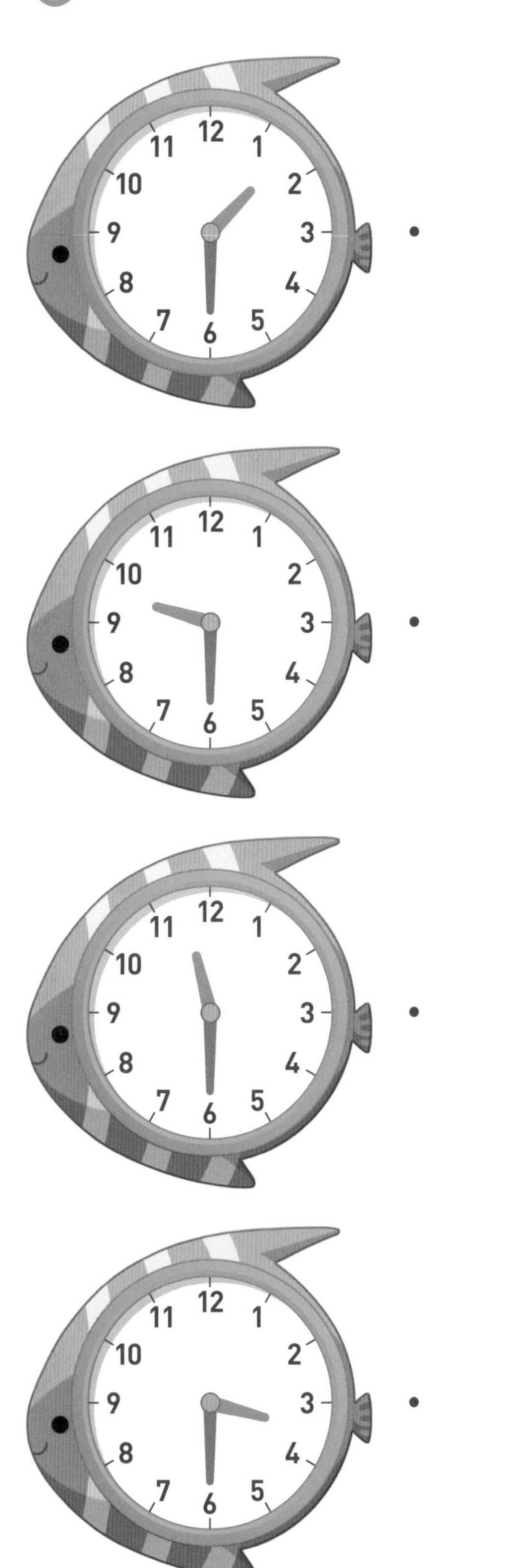

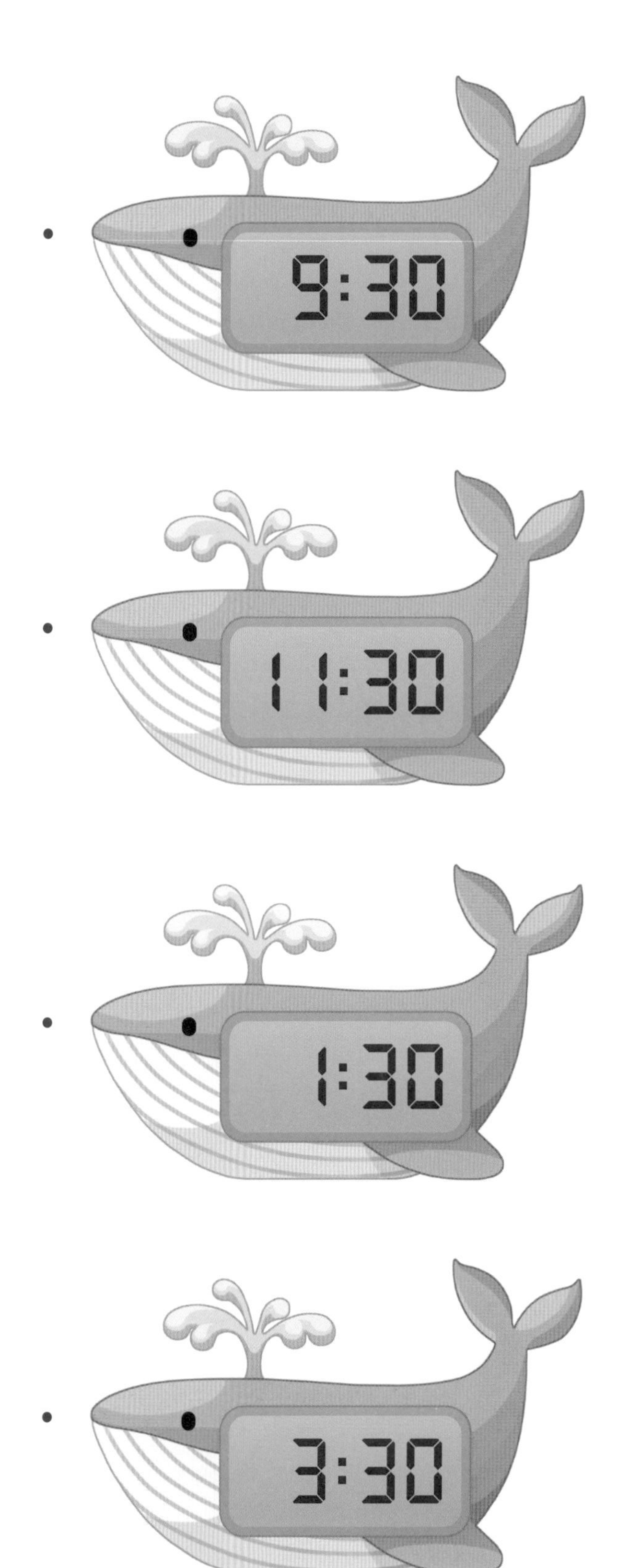

15일 시각 읽어 길 찾기②

시계의 시각을 바르게 읽은 쪽을 따라 선을 그어 미로를 탈출하세요.

시계를 보고 시각을 바르게 읽은 쪽의 길로 나아가도록 해 주세요.
'4시 반'은 '4시 30분'과 같은 시각이라는 것을 알려 주세요.

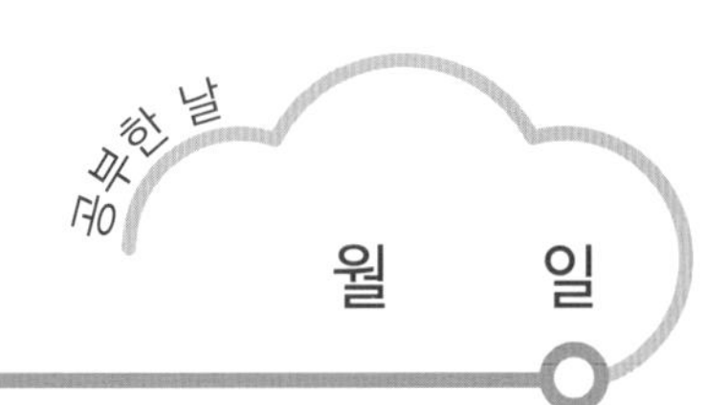

시각에 맞는 시계 그림을 따라 선을 그어 미로를 탈출하세요.

시각을 보고 맞는 시계가 있는 길로 나아가도록 해 주세요.

16일 시각 읽기③

시계를 바르게 읽은 시각은 ◯표, 잘못 읽은 시각은 ×표 하세요.

6시

3시

4시 30분

8시 30분

열두 시

열 시 삼십 분

정답 101쪽

☐ 안에 알맞은 수를 쓰고, 시계의 시각을 읽어 보세요.

☐ 시

☐ 시 ☐ 분

☐ 시

☐ 시 ☐ 분

☐ 시

☐ 시 ☐ 분

17일 시각 찾아 선 잇기

같은 시각을 나타내는 시계를 찾아 선으로 연결하세요.

1시 •

• 

7시 •

• 

4시 30분 •

• 

9시 30분 •

• 

정답 101쪽

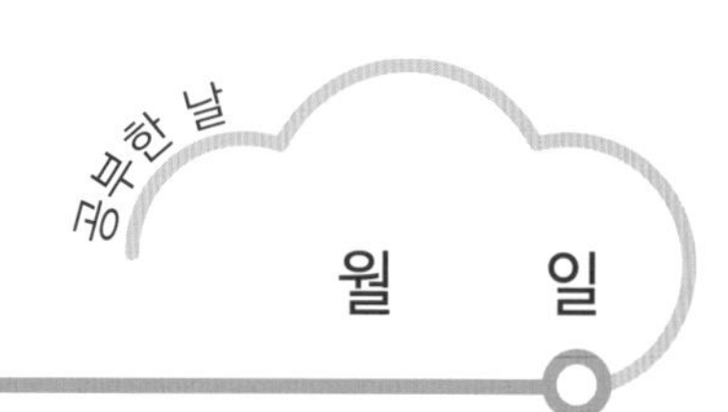

같은 시각을 나타내는 시계를 찾아 선으로 연결하세요.

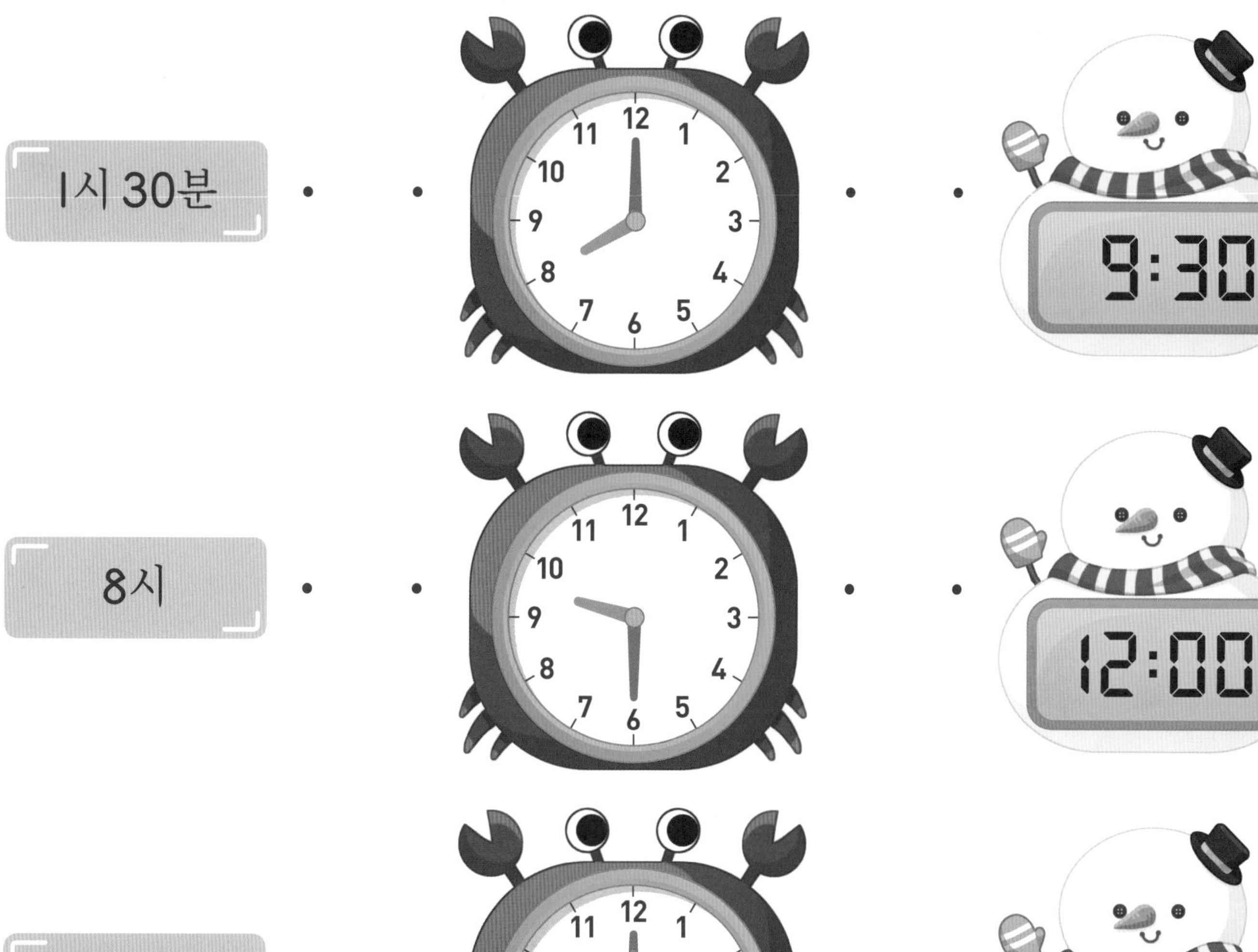

9시 30분

12시

18일 시각 보고 시계 찾기

시각에 맞는 시계를 모두 찾아 ☐ 안에 ○표 하세요.

10시 30분

정답이 2개인 것도 있다는 것을 알려 주세요.

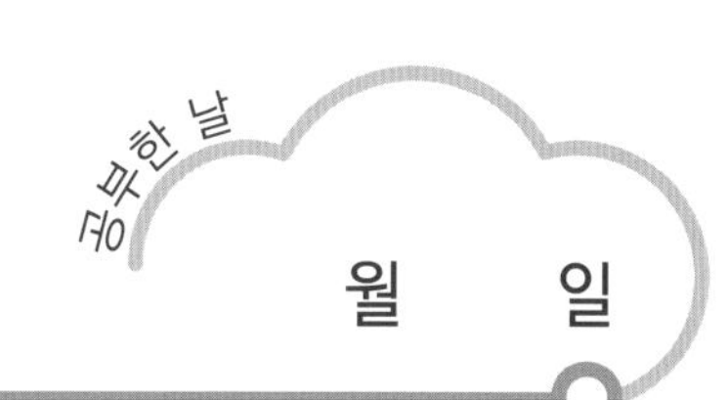

정답 101쪽

시각에 맞는 시계를 찾아 ◯표 하세요.

일곱 시

여섯 시 삼십 분

19일 상황 보고 시계 찾기

그림의 이야기에 알맞은 시계를 찾아 선으로 연결하세요.

7시에 일어나요.

6시에 저녁을 먹어요.

3시에 놀이터에서 놀아요.

시계를 보고 상황에 맞는 시각을 찾는 연습을 하도록 하세요.

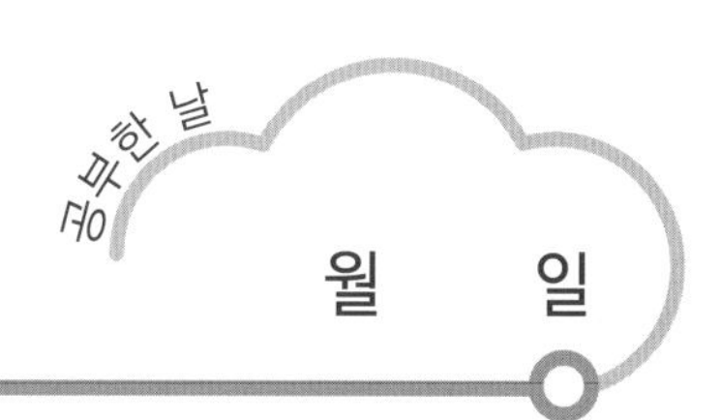

정답 102쪽

그림의 이야기에 알맞은 시계를 찾아 선으로 연결하세요.

11시 30분에 친구와 놀아요.

9시 30분에 유치원에 가요.

12시 30분에 점심을 먹어요.

시각의 순서는 다음에 배워요.

상황 보고 시곗바늘 그리기

그림의 이야기에 나오는 시각을 그리세요.

7시에 줄넘기를 해요.

8시에 동화책을 읽어요.

그림의 이야기에 나오는 시각을 그리세요.

4시 30분에 엄마와 병원에 가요.

7시 30분에 피아노를 쳐요.

21일 세계의 시각

각 나라의 시계를 보고 시계가 가리키는 시각을 쓰세요.

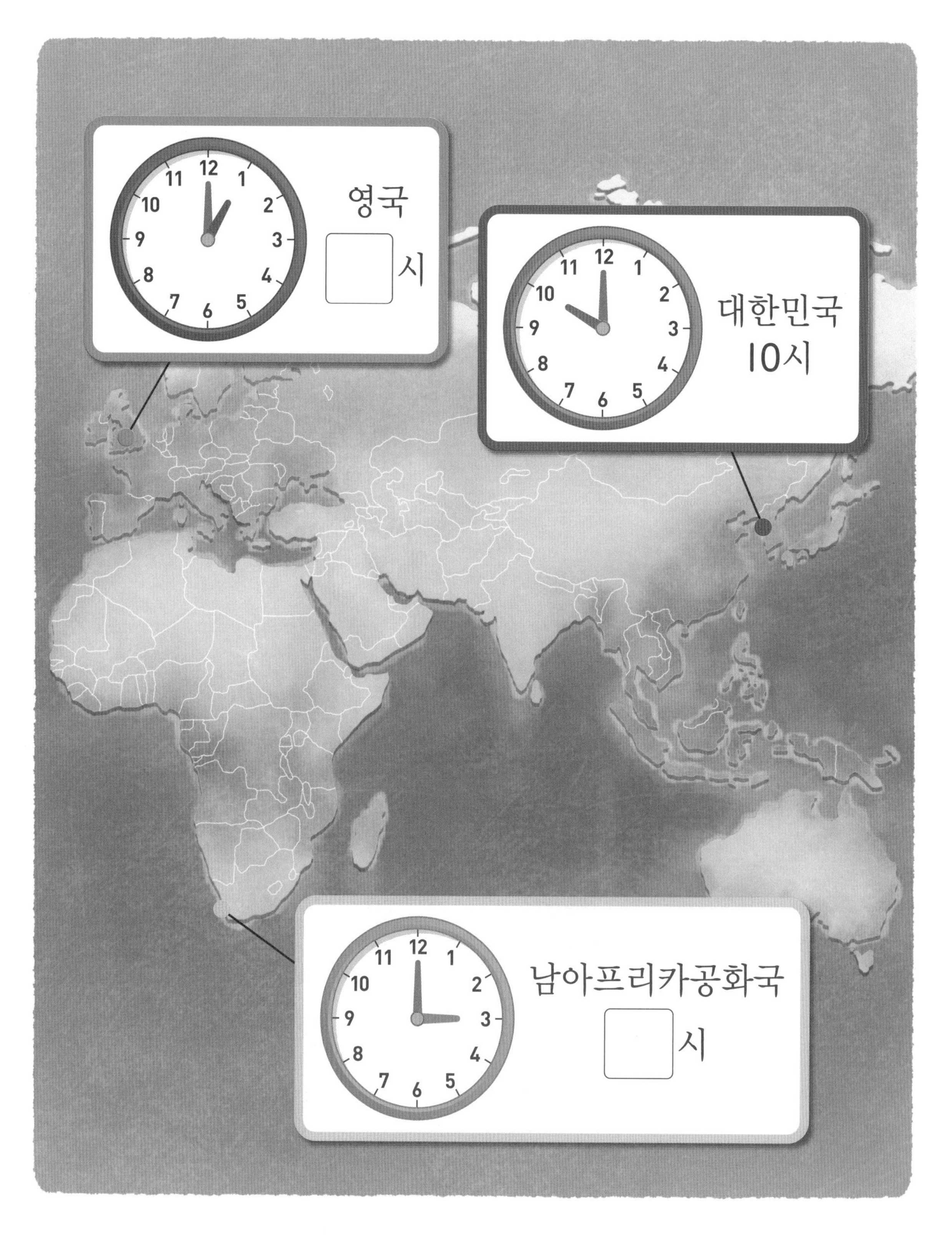

대한민국을 기준으로 세계 여러 나라의 시각을 알아보고, 나라마다 시각이 다르다는 것을 알도록 하세요.

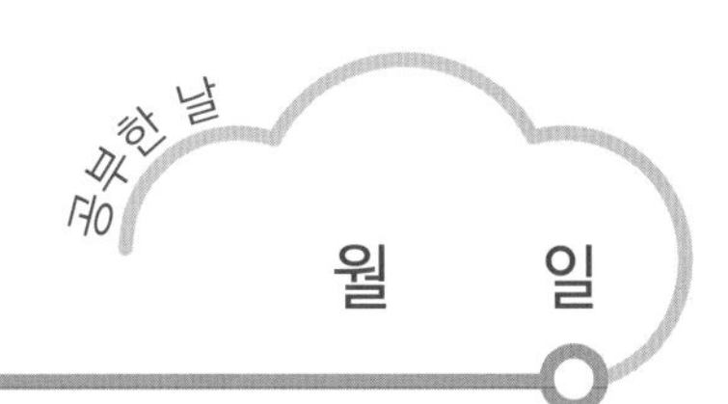

정답 102쪽

각 나라의 시계를 보고 시계가 가리키는 시각을 쓰세요.

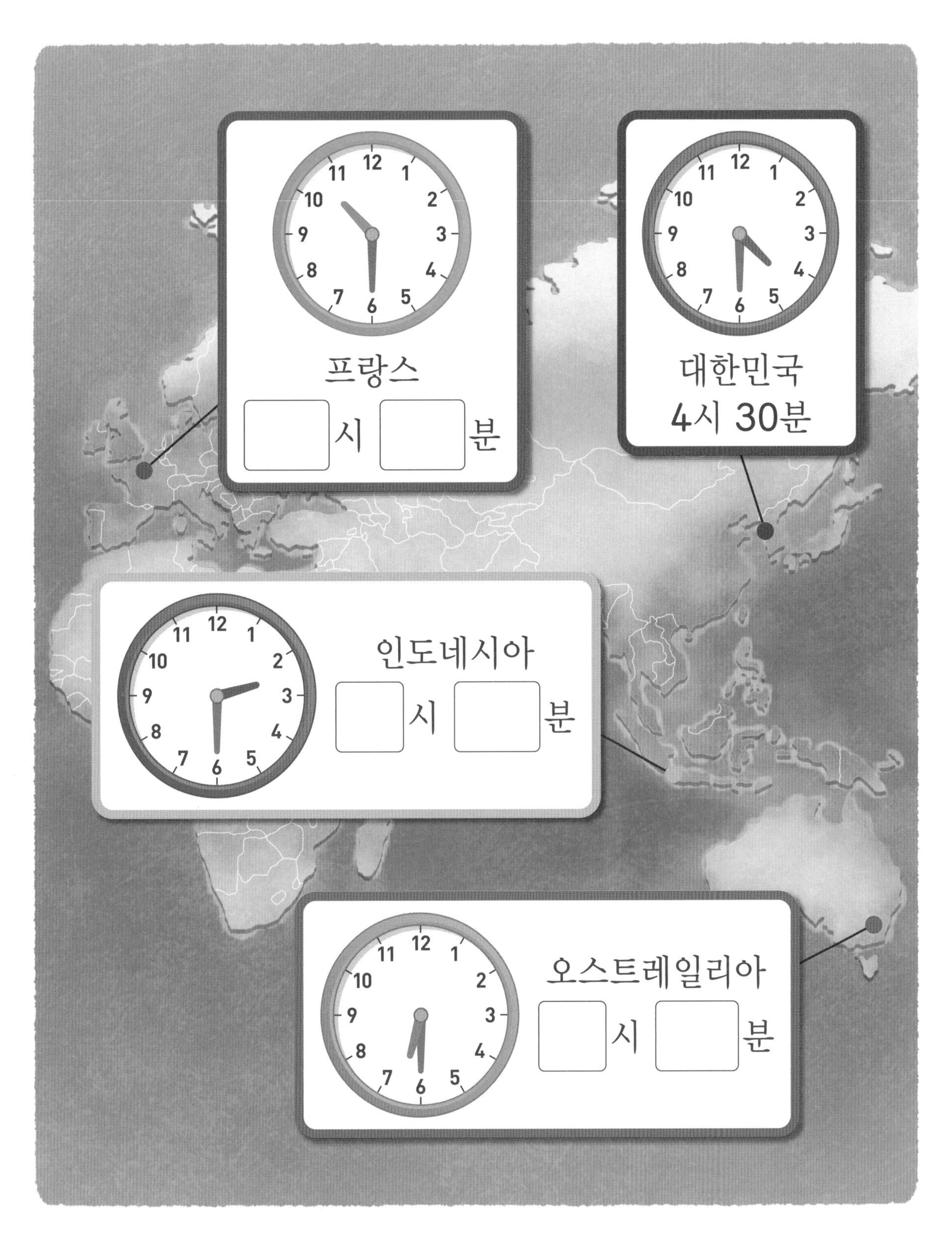

22일 시각의 순서①

은서가 오늘 하루 한 일을 차례로 나타낸 그림이에요. 시계가 나타낸 시각을 □ 안에 알맞게 쓰세요.

□ 시에 양치질을 해요.

□ 시 □ 분에 유치원에서 돌아와요.

□ 시에 저녁을 먹어요.

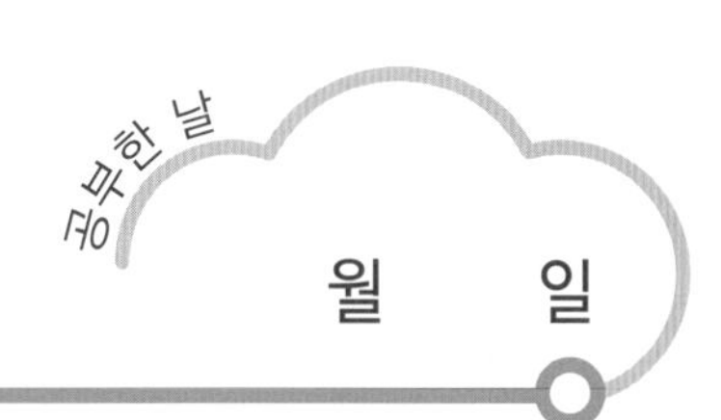

정답 103쪽

지우가 오늘 한 일을 차례로 나타낸 그림이에요. 그림의 이야기에 나오는 시각을 그리세요.

10시 30분에 박물관에 도착했어요.

3시에 박물관을 나왔어요.

3시 30분에 집에 도착했어요.

23일 시각의 순서②

알맞은 친구를 찾아 ◌ 안에 색칠하세요.

더 일찍 일어난 친구는 누구일까요?

더 일찍 아침밥을 먹은 친구는 누구일까요?

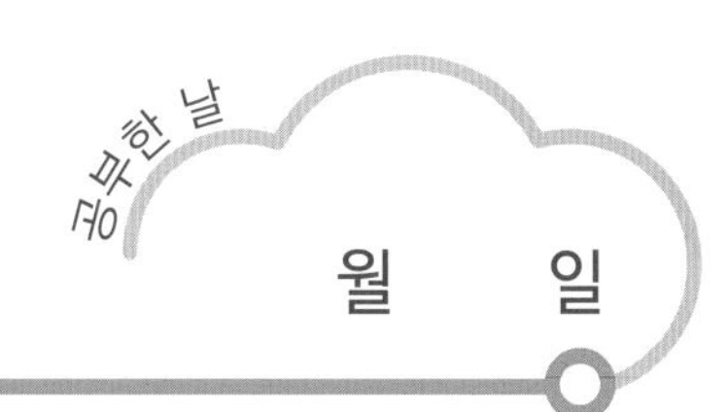

알맞은 친구를 찾아 ◌ 안에 색칠하세요.

더 늦게 양치질을 한 친구는 누구일까요?

더 늦게 잠자리에 든 친구는 누구일까요?

24일 시각의 순서③

민호의 유치원 생활을 나타낸 그림이에요. 시간 순서대로 ☐ 안에 1, 2, 3을 쓰세요.

4시에 친구와 놀아요. ☐

9시 30분에 유치원에 가요. ☐

2시에 간식을 먹어요. ☐

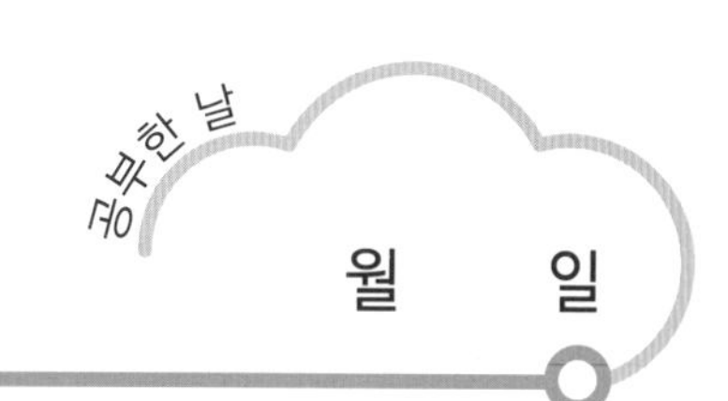
공부한 날
월 일

정답 103쪽

민영이가 유치원에서 친구들과 논 일이 맨 처음 한 일일 때 시간 순서대로 ☐ 안에 2, 3, 4를 쓰세요.

저녁에 텔레비전을 봐요.
유치원에서 집으로 돌아와요.
1
유치원에서 친구들과 놀아요.
잠을 자요.

시계의 시각 중에서 10시라도 낮과 밤의 시각이 다르다는 것을 알도록 하고 낮이 밤보다 시각의 순서가 빠르다는 것을 알려 주세요.

25일 시각의 순서④

윤주의 가족이 집에 돌아온 시각이에요. 일찍 들어온 시각 순서대로 □ 안에 1, 2, 3, 4를 쓰세요.

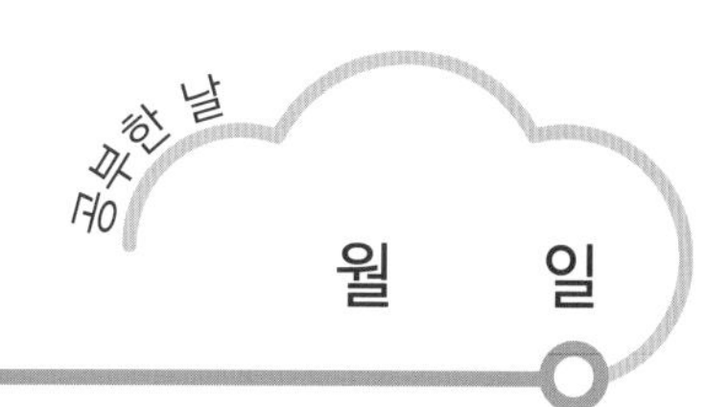

정답 104쪽

민수는 친구들과 만나 놀이터에서 놀기로 했어요. 시간 순서대로 ☐ 안에 1, 2, 3, 4를 쓰세요.

자신감을 길러요

영웅 자세

다리에 힘을 길러 주고 몸을 쭉 펴는 자세로 자신감을 주는 동작입니다.

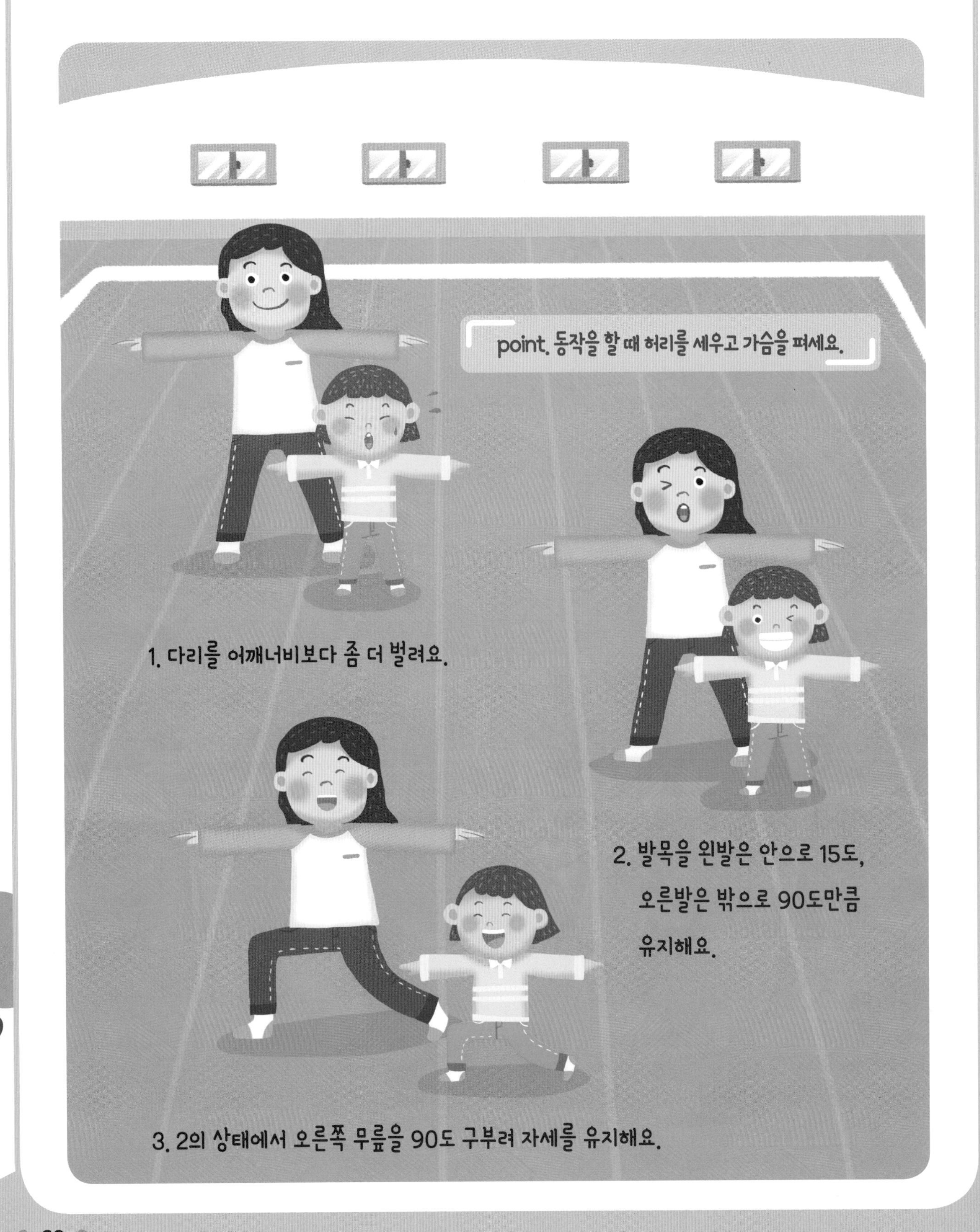

point. 동작을 할 때 허리를 세우고 가슴을 펴세요.
1. 다리를 어깨너비보다 좀 더 벌려요.
2. 발목을 왼발은 안으로 15도, 오른발은 밖으로 90도만큼 유지해요.
3. 2의 상태에서 오른쪽 무릎을 90도 구부려 자세를 유지해요.

4

주제

규칙 알기

길을 따라 궁전으로 가자!

- **무엇을 알게 될까요?**

  오즈의 마법사 이야기를 보면 도로시와 친구들이 노란색 길을 따라 궁전으로 가게 됩니다.
  궁전으로 가는 길의 블록에 색깔을 표시하여 길의 **색깔 규칙**을 알 수 있게 됩니다.

- **언제 배우나요?**

  이번에 공부할 내용은 **초등학교 1학년 2학기 5단원 시계 보기와 규칙 찾기** 단원에서 배우게 됩니다.

도로시와 친구들이 길을 따라
궁전으로 가고 있어요.
무사히 마법사를 만날 수 있을까요?

26일 묶는 색깔 규칙

개념 활동 강의

길의 색깔 규칙을 찾아 묶어 볼까요?

길의 블록이 궁전까지 이어져 있어요.
왼쪽에서부터 파란색, 노란색, 빨간색 블록이
반복되는 규칙이네요.

궁전으로 가는 길의 색깔 규칙을 찾아 선으로 묶으세요.

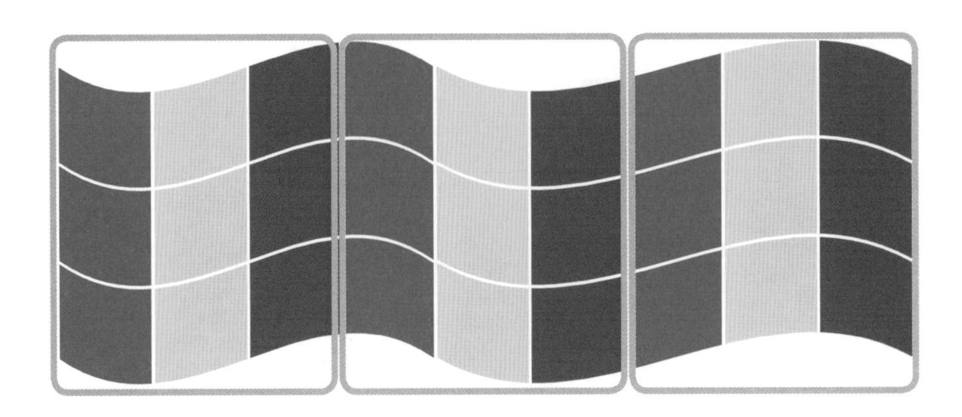

모양과 크기에는 관계없이 색깔에 집중하여 규칙을 찾아 묶을 수 있도록 하세요.

색깔에 따라 반복되는 규칙을 찾아 선으로 묶으세요.

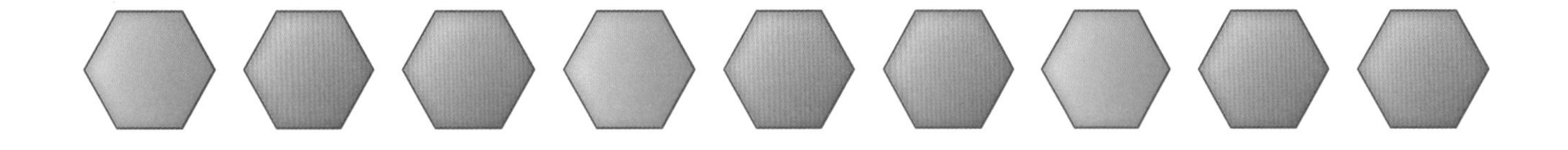

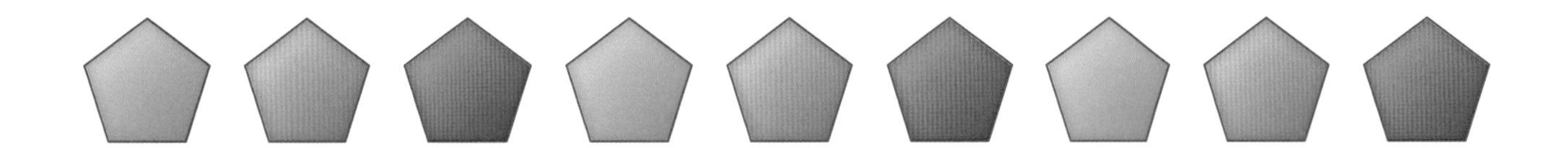

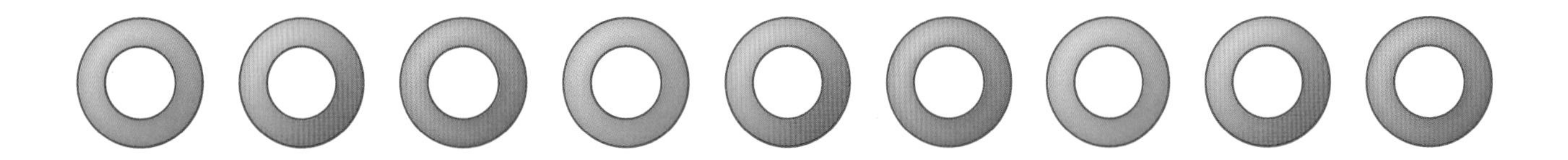

27일 묶는 모양 규칙

개념 활동 강의

고깔 모자의 모양 규칙을 찾아 묶어 볼까요?

친구들이 고깔 모자를 쓰고 있어요.
왼쪽에서부터 줄무늬 모자, 물방울무늬 모자, 물방울무늬 모자가
반복되는 규칙이네요.

고깔 모자의 모양 규칙을 찾아 선으로 묶으세요.

색깔과 크기에는 관계없이 모양에 집중하여 규칙을 찾아 묶을 수 있도록 하세요.

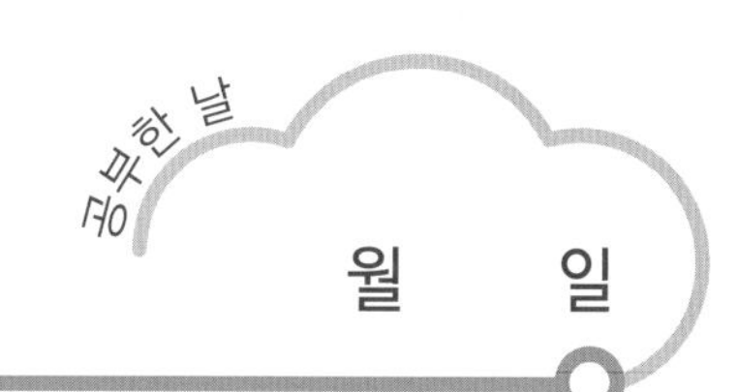

정답 105쪽

모양에 따라 반복되는 규칙을 찾아 선으로 묶으세요.

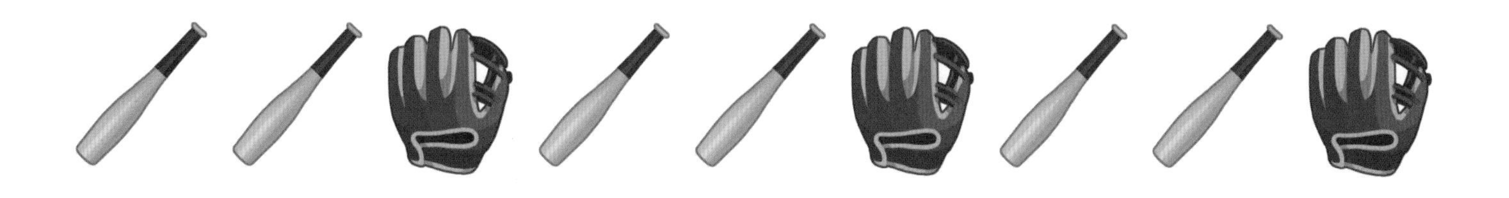

묶는 크기 규칙

개념 활동 강의

자동차의 크기 규칙을 찾아 묶어 볼까요?

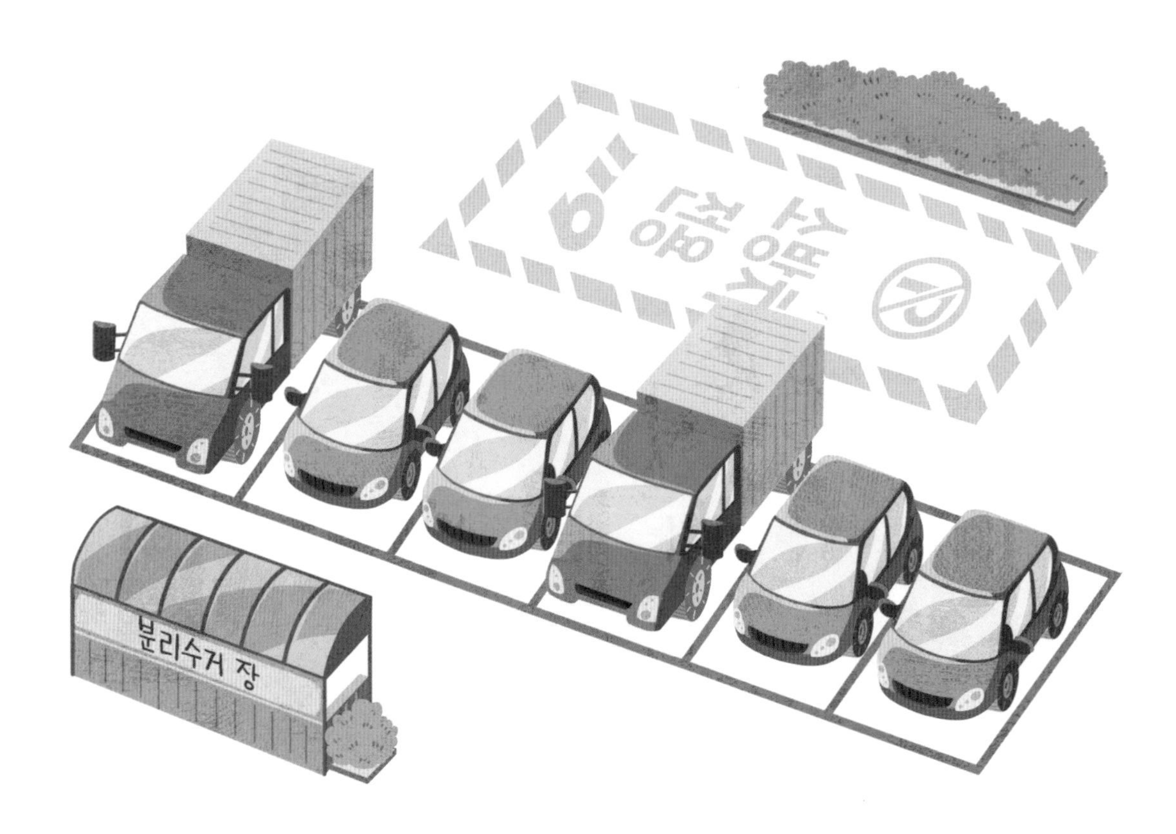

아파트 주차장에 자동차들이 주차되어 있어요.
왼쪽에서부터 큰 자동차, 작은 자동차, 작은 자동차가
반복되는 규칙이네요.

자동차의 크기 규칙을 찾아 선으로 묶으세요.

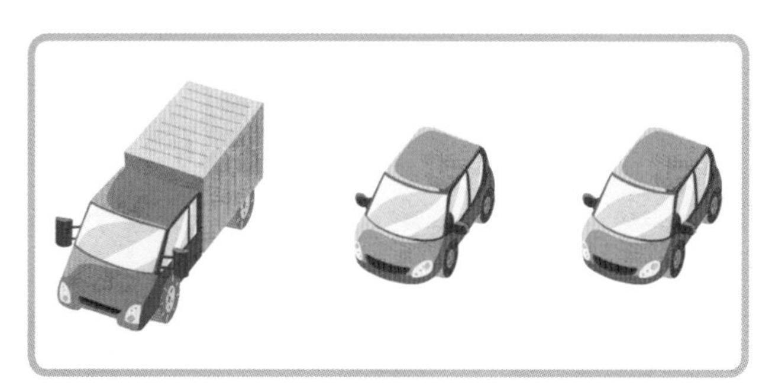

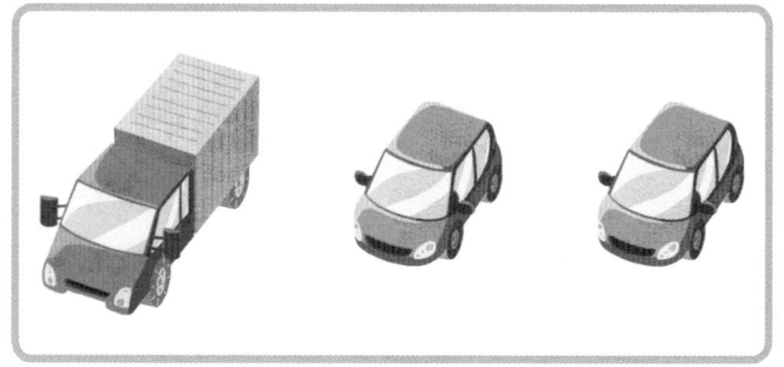

색깔과 모양에 관계없이 크기에 집중하여 규칙을 찾아 묶을 수 있도록 하세요.

정답 105쪽

크기에 따라 반복되는 규칙을 찾아 선으로 묶으세요.

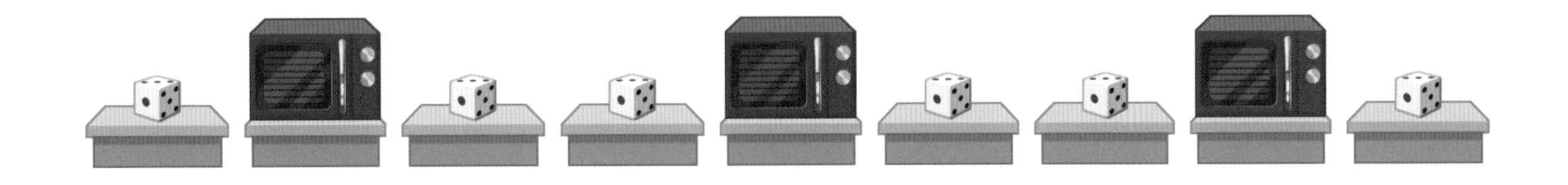

찾는 색깔 규칙

개념 활동 강의

화단에 색깔 규칙대로 꽃을 심어 볼까요?

화단에 아빠와 예쁜 꽃을 심고 있어요.
빨간색 꽃 1송이와 노란색 꽃 1송이가 반복되는 규칙이네요.

꽃의 규칙을 찾아 마지막 화분의 꽃으로 알맞은 것에 ○표 하세요.

정답 106쪽

색깔 규칙에 맞게 마지막 빈칸에 들어갈 알맞은 것에 ◯표 하세요.

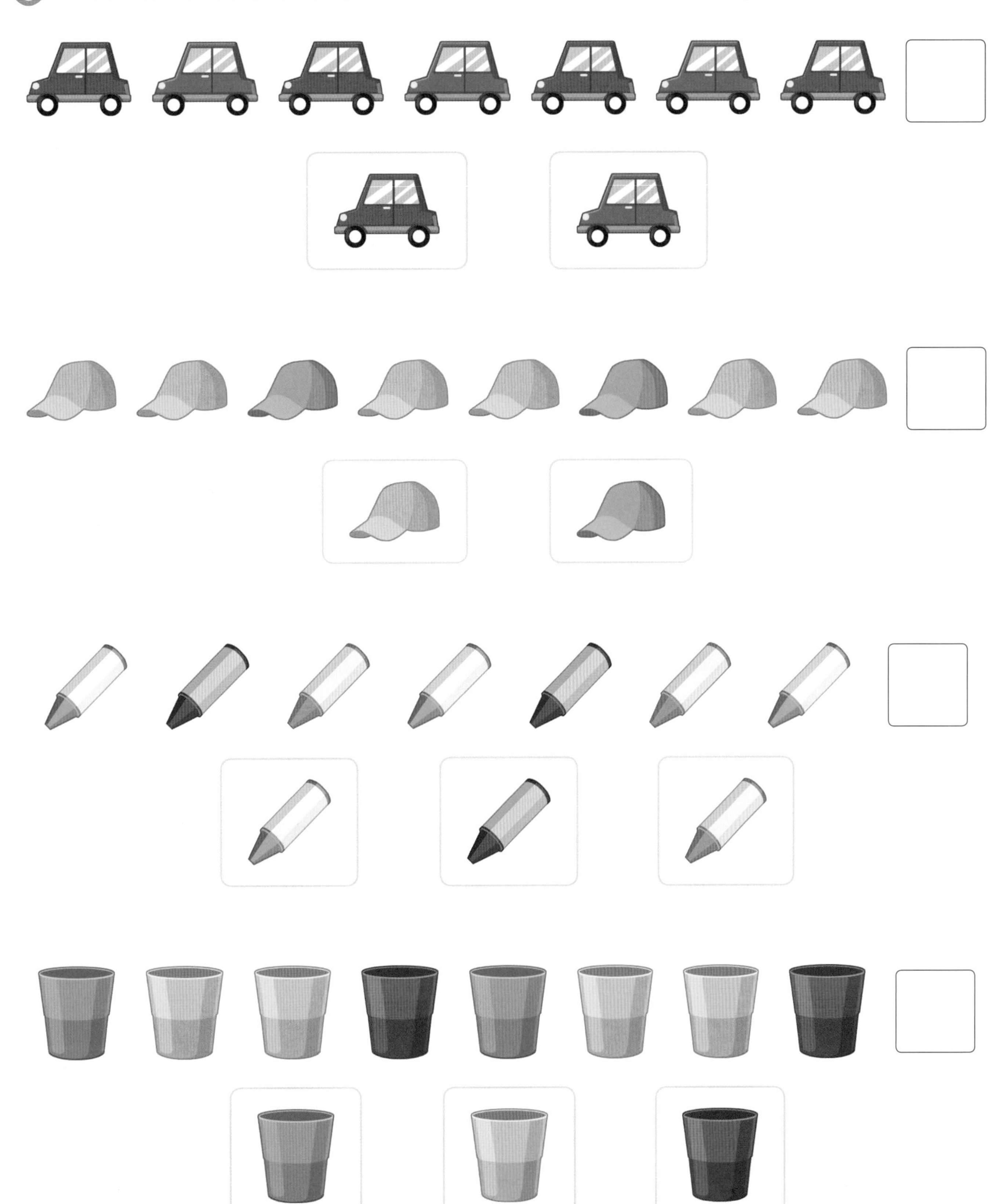

찾는 모양 규칙

개념 활동 강의

친구를 만나러 모양 규칙대로 따라가 볼까요?

물고기가 친구를 만나러 가고 있어요.
■ 모양, ▲ 모양, ● 모양이 반복되는 규칙이네요.

물고기가 친구를 만나러 가는 모양 규칙을 찾아 ○표 하세요.

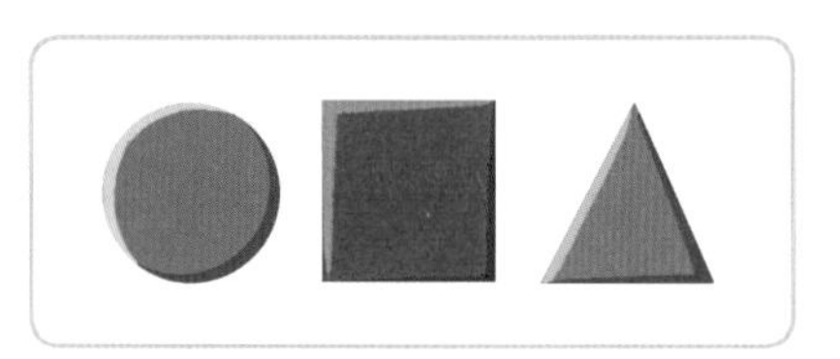

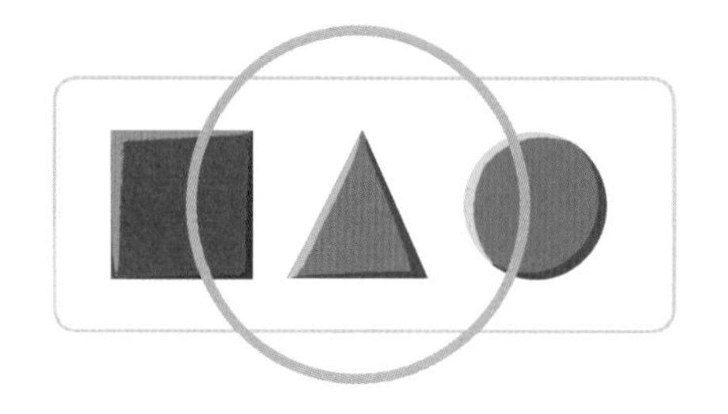

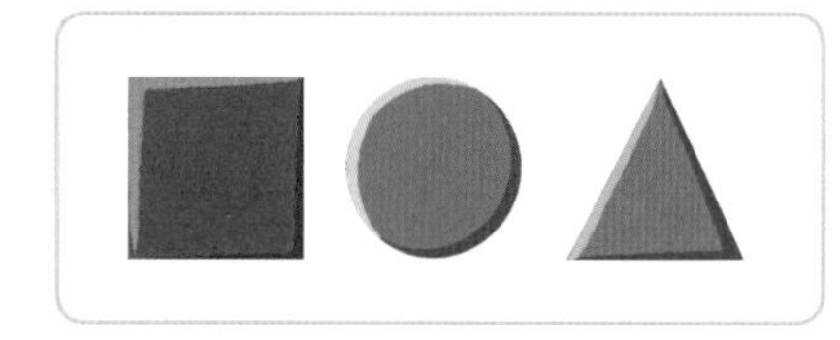

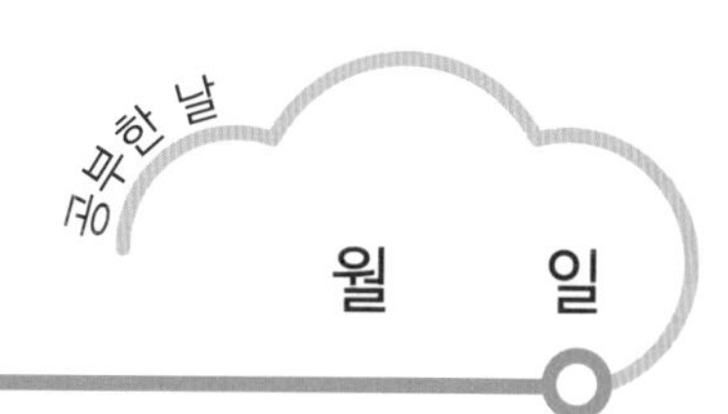

정답 106쪽

모양 규칙에 맞게 모든 모양을 하나의 선으로 연결되도록 이으세요.

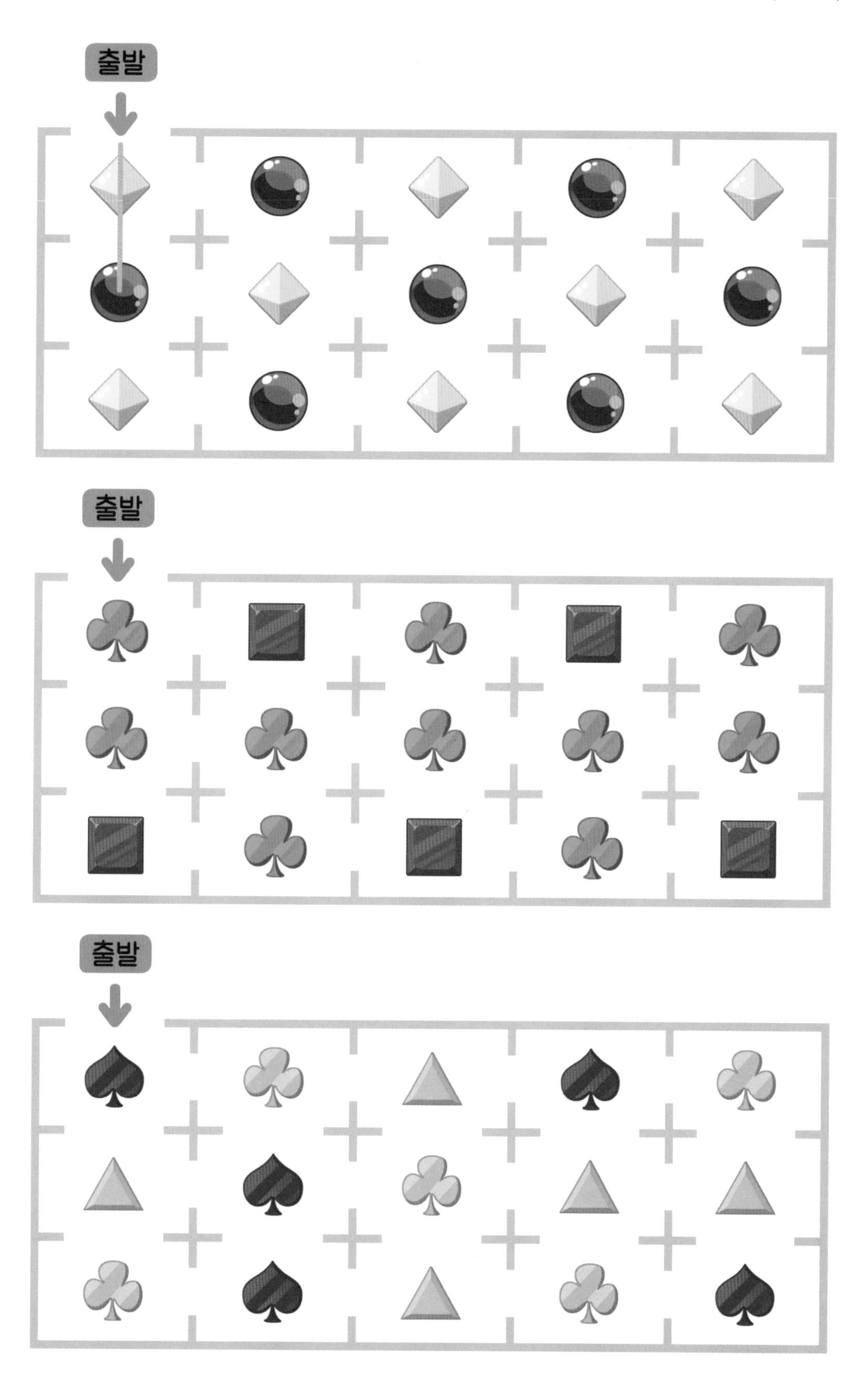

찾는 크기 규칙

개념 활동 강의

소방차의 크기 규칙을 찾아 따라가 볼까요?

소방차들이 불이 난 집으로 가고 있어요.
소방서에서부터 , , 가 반복되는 규칙이네요.

빈 곳에 들어갈 소방차를 찾아 ◯표 하세요.

소방서에서부터 출발하는 소방차의 크기 규칙을 찾아보도록 하세요.

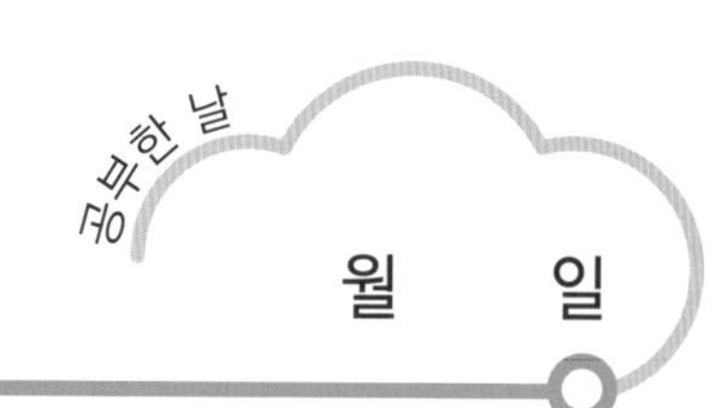

정답 106쪽

크기 규칙에 맞지 않는 것을 찾아 ×표 하세요.

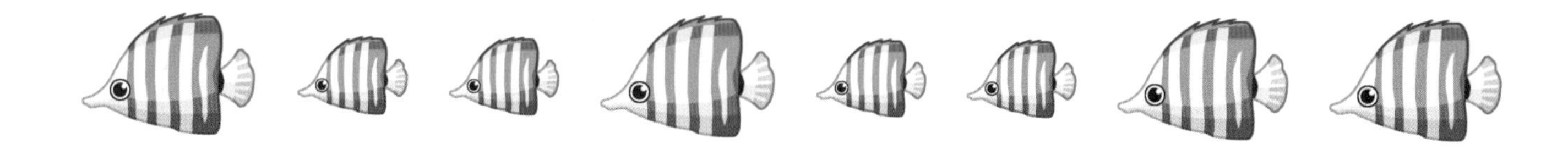

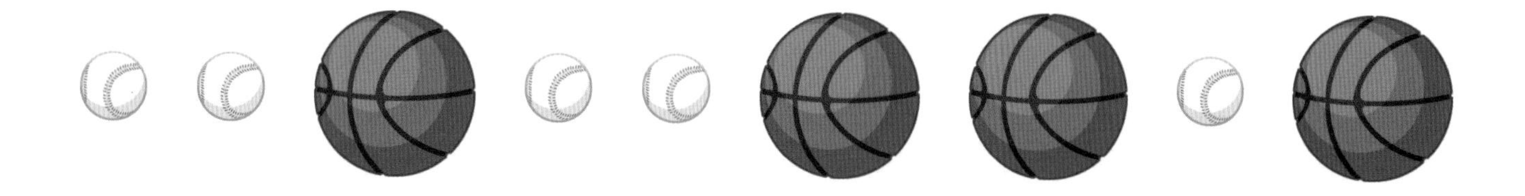

32일 채우는 색깔 규칙

개념 활동 강의

울타리의 색깔 규칙에 따라 색칠해 볼까요?

동물 농장의 울타리의 색깔이 달라요.
초록색, 연두색이 반복되는 규칙이네요.

울타리에서 발견한 색깔 규칙에 따라 빈 곳에 색칠하세요.

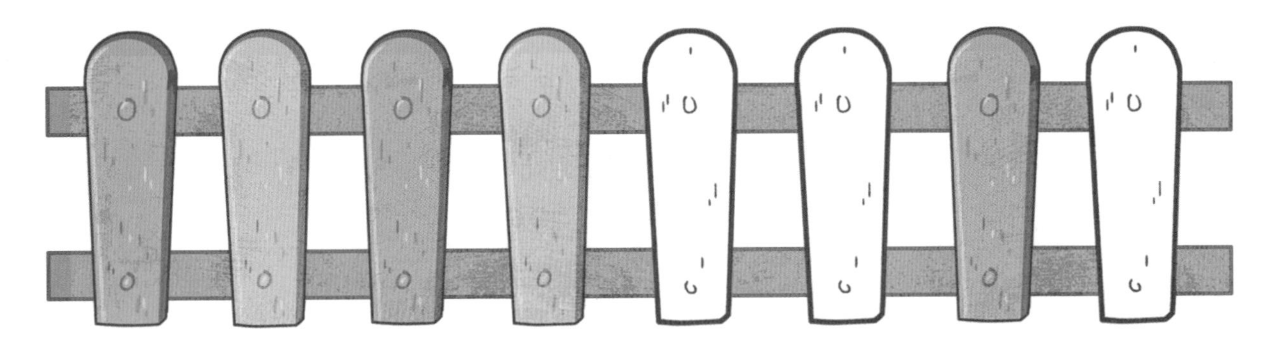

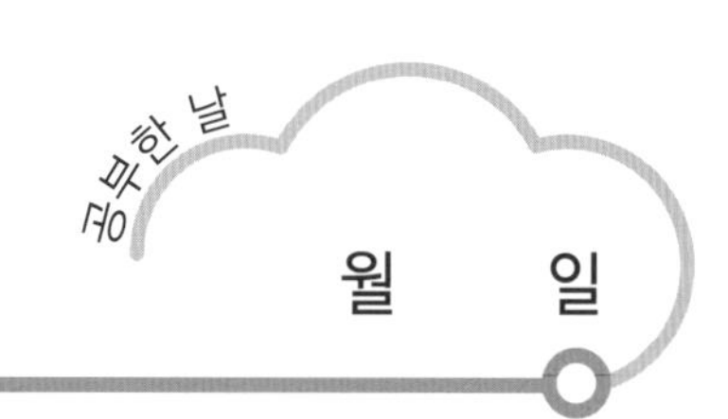

정답 107쪽

밴의 몸통의 색깔 규칙에 따라 빈 곳에 색칠하세요.

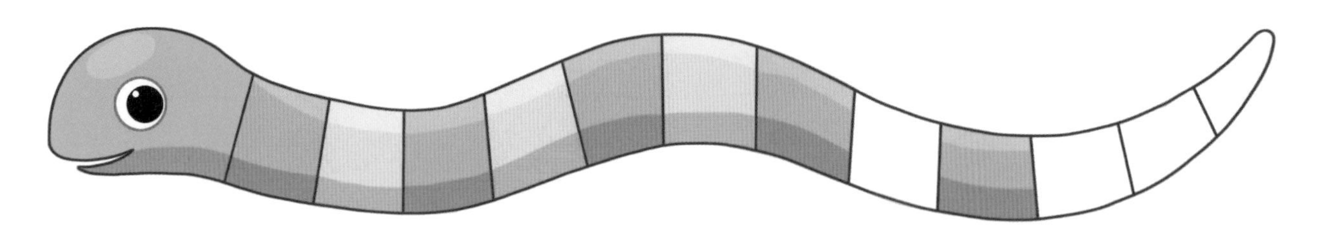

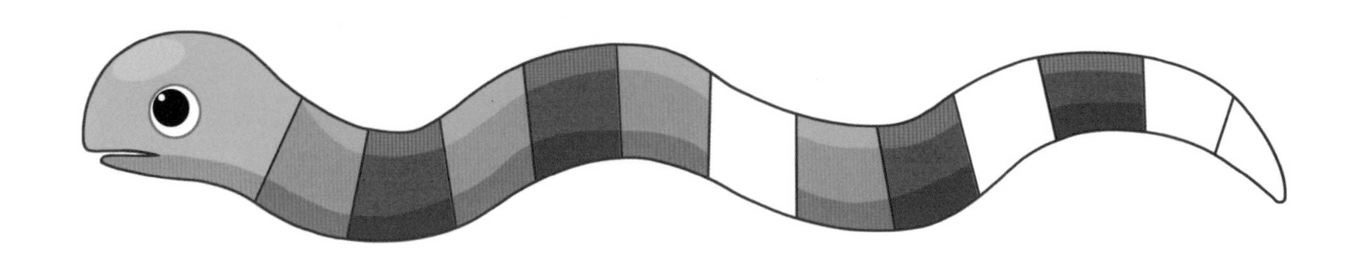

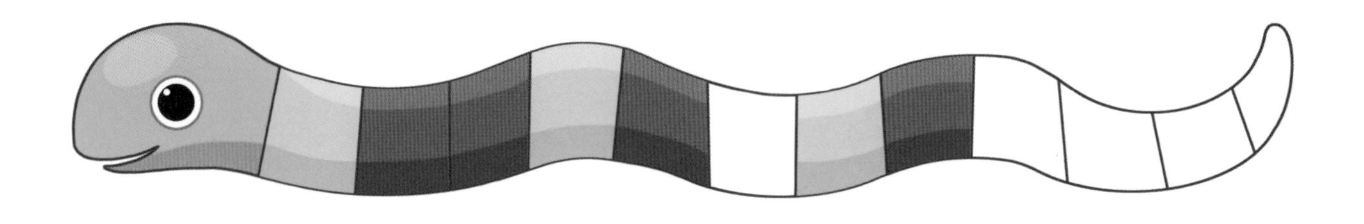

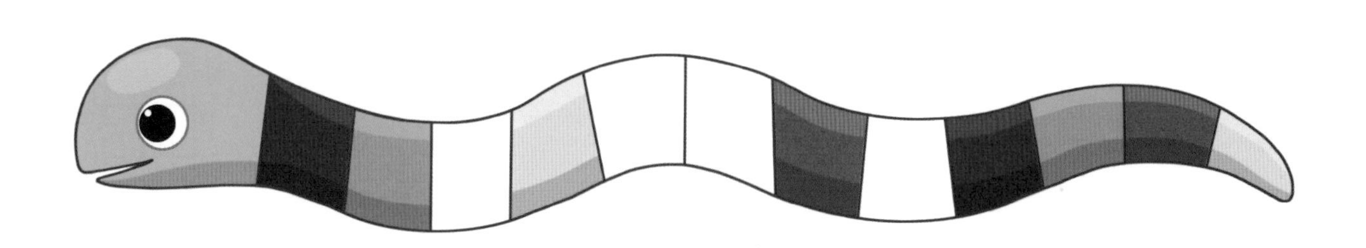

채우는 모양 규칙

개념 활동 강의

잎의 모양 규칙을 찾아 채워 볼까요?

꽃들의 꽃잎이 다양한 모양으로 생겼어요.
꽃마다 줄기에 붙은 잎들의 모양에 규칙이 있네요.

잎의 모양을 보고 규칙에 따라 색칠하세요.

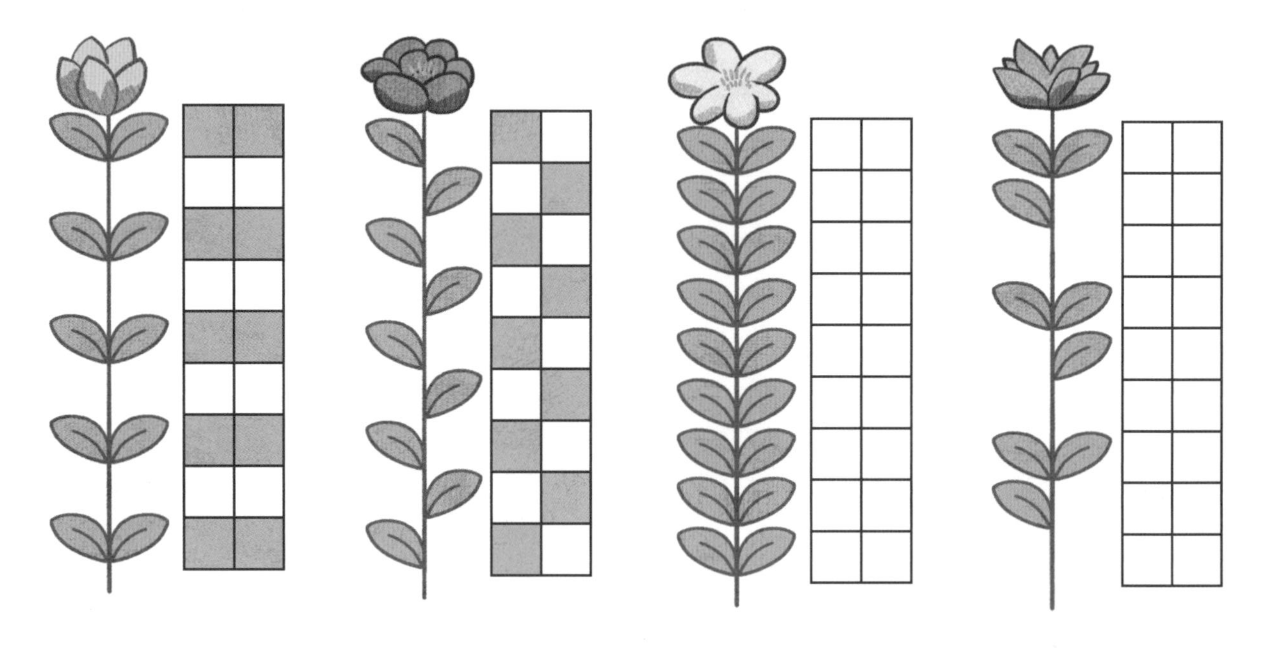

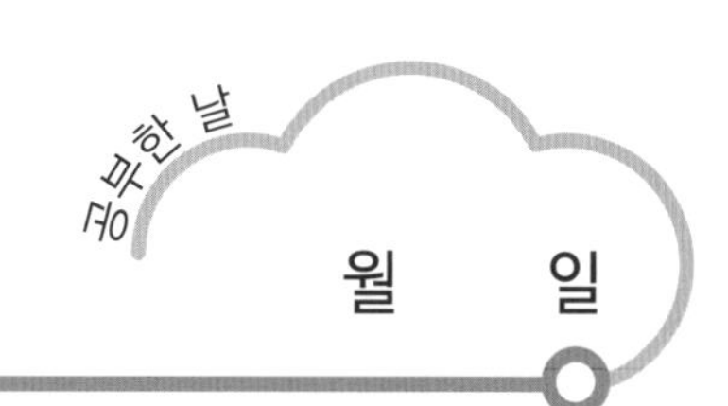

정답 107쪽

구슬 속의 모양 규칙을 찾아 모양을 그리세요.

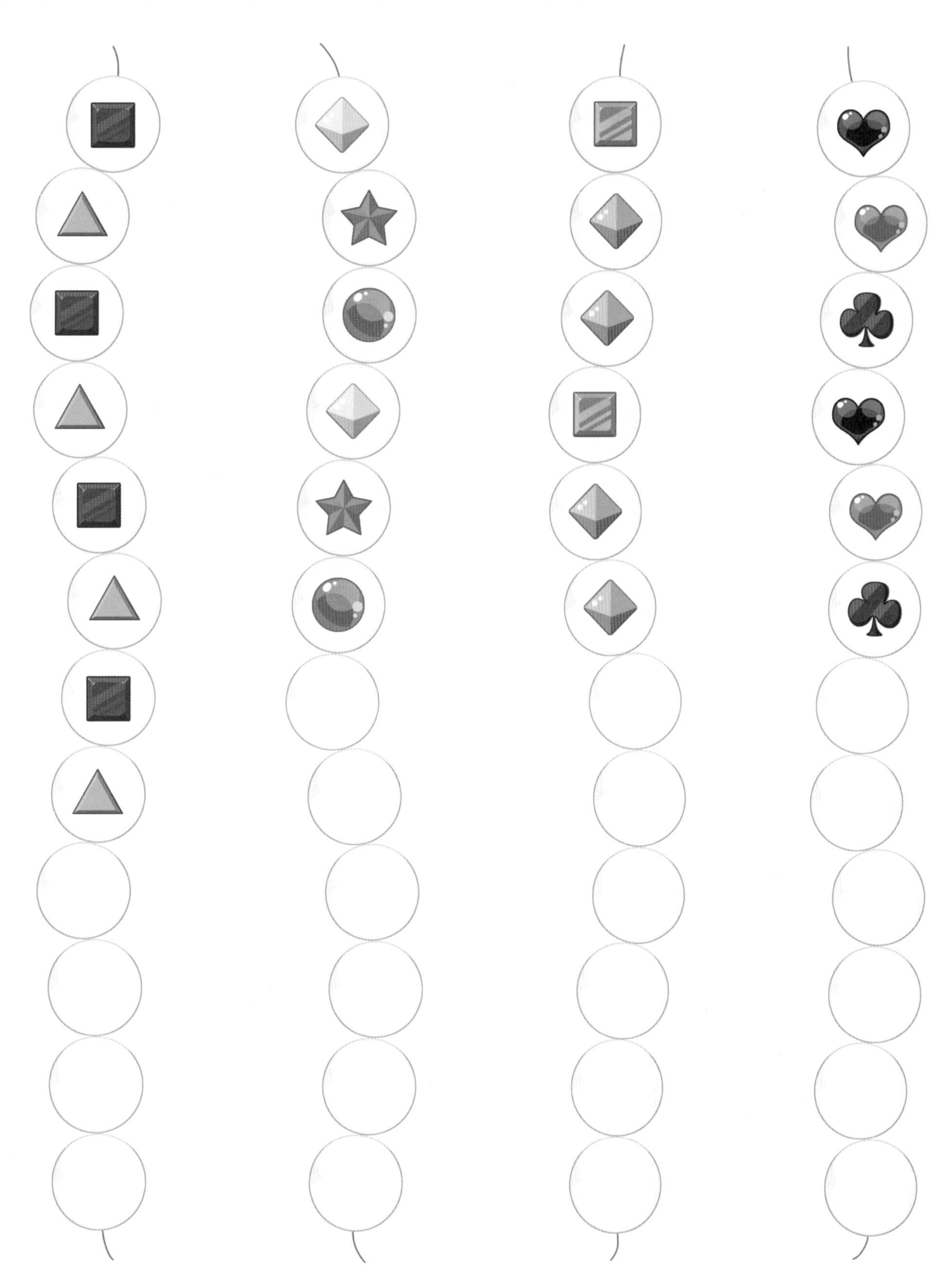

34일 채우는 색깔과 모양 규칙

개념 활동 강의

놀이 기구의 색깔과 모양 규칙을 찾아 색칠해 볼까요?

놀이 기구의 모양과 색깔이 서로 달라요.
위에서부터 시계 방향으로 모양은 배 모양, 비행기 모양이 반복되고,
색깔은 노란색, 파란색, 빨간색이 반복되는 규칙이네요.

놀이 기구의 빈 곳에 알맞은 모양을 찾아 규칙에 맞게 색칠하세요.

2가지 규칙을 찾아야 하는 활동으로 아이들이 어려워할 수 있어요.
먼저 빈 곳의 모양을 찾은 후 색깔 규칙에 맞게 색칠하도록 하세요.

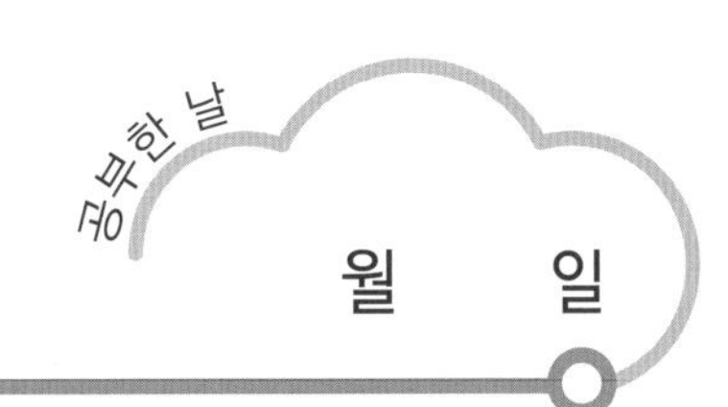

정답 107쪽

도형을 일정한 규칙에 따라 늘어놓았어요. 아래 물음에 답하세요.

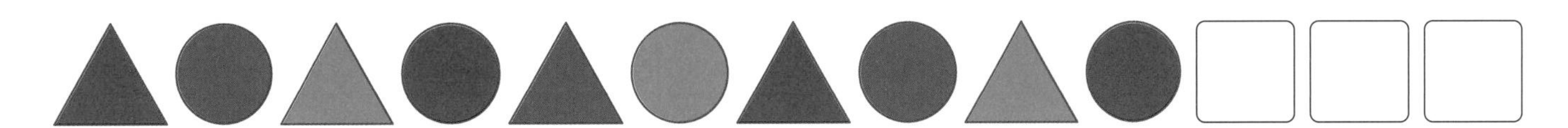

① 어떤 모양이 반복되고 있는지 순서대로 그리세요.

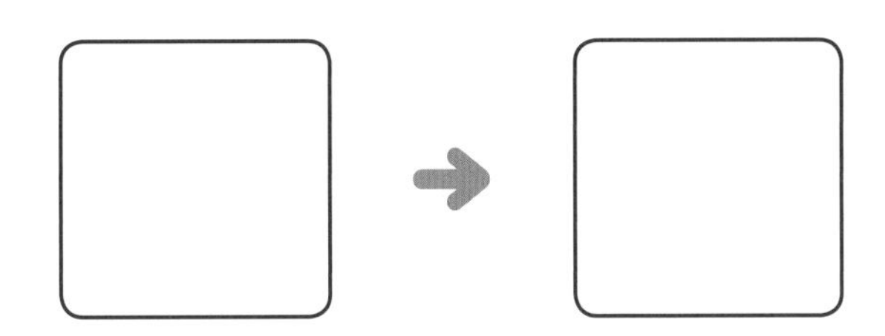

② 어떤 색깔이 반복되고 있는지 반복되는 색깔을 순서대로 색칠하세요.

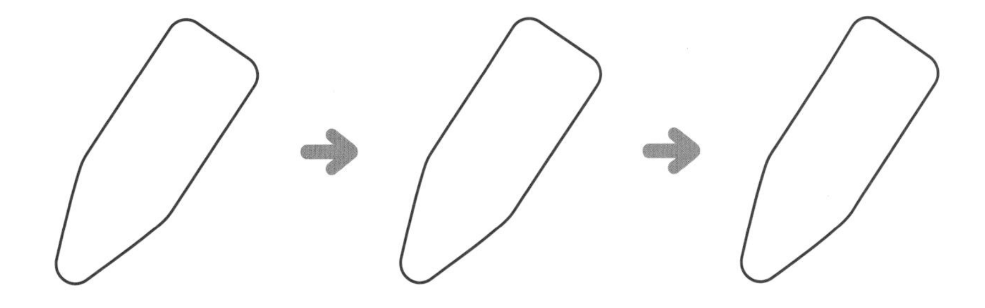

③ 규칙에 따라 빈칸에 들어갈 모양을 그리고 색칠하세요.

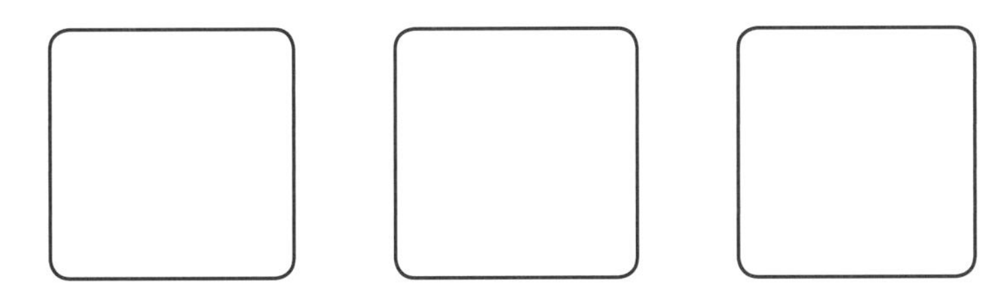

35일 채우는 블록 규칙

개념 활동 강의

규칙에 따라 블록을 쌓아 볼까요?

친구와 블록을 가지고 놀고 있어요.
왼쪽에서부터 블록이 1개, 2개, 3개로
블록이 한 개씩 늘어나는 규칙이네요.

블록 수가 늘어나는 규칙을 찾아 빈 곳에 블록 수만큼 그리고, 색칠하세요.

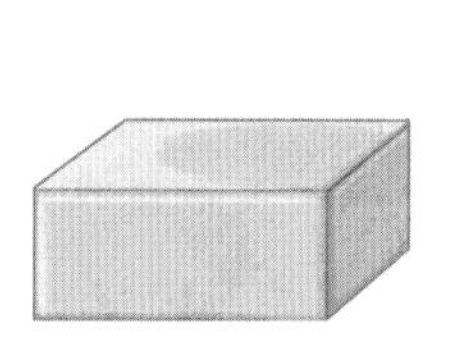
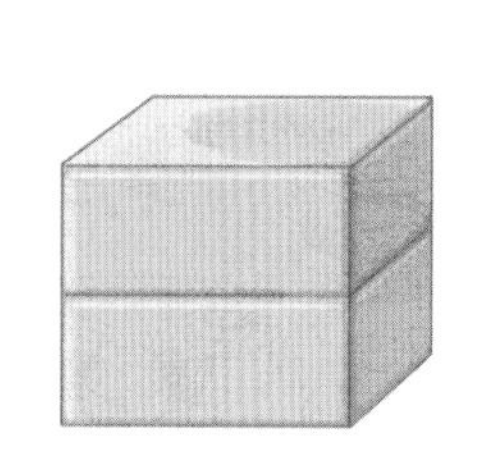
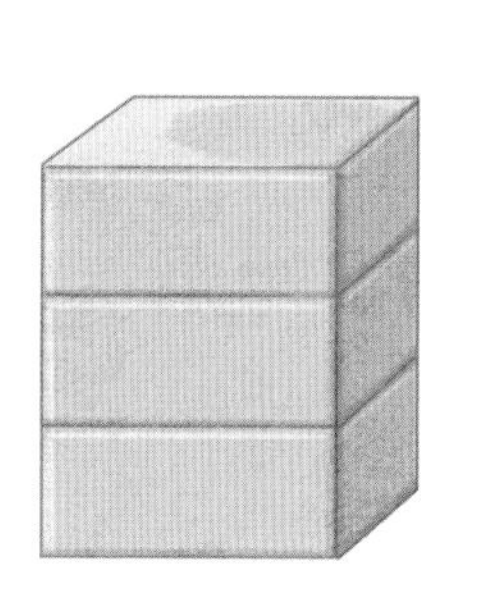
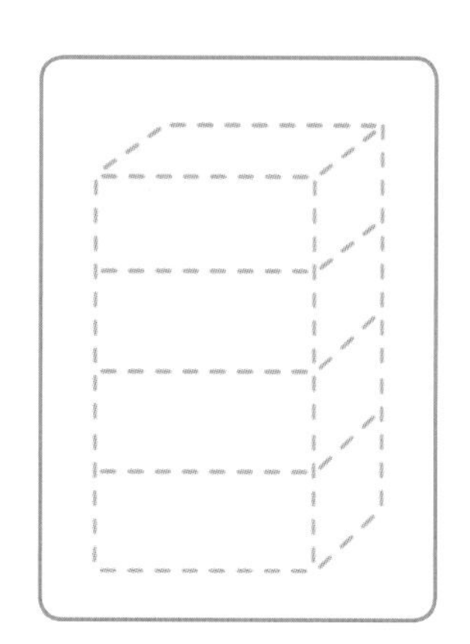

정답 108쪽

블록 수가 늘어나는 규칙을 찾아 빈 곳에 블록 수만큼 그리고, 색칠하세요.

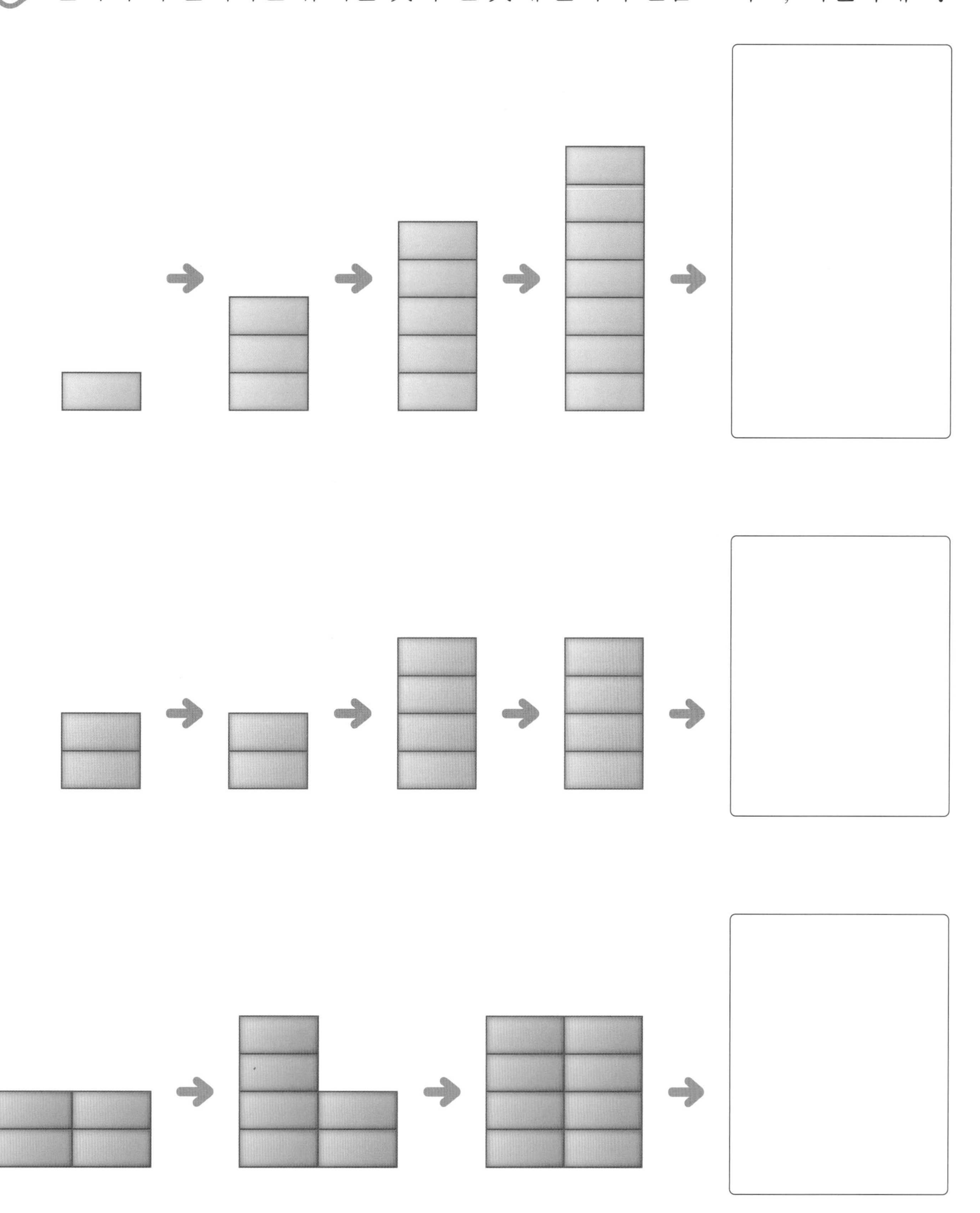

채우는 무늬 규칙

개념 활동 강의

규칙에 따라 포장지의 무늬를 꾸며 볼까요?

선물을 포장하려면 예쁜 포장지가 필요하겠죠?
포장지는 파란색이 한 칸씩 건너뛰면서 색칠되어
반복되는 규칙이네요.

규칙에 따라 알맞은 색으로 빈칸을 색칠하세요.

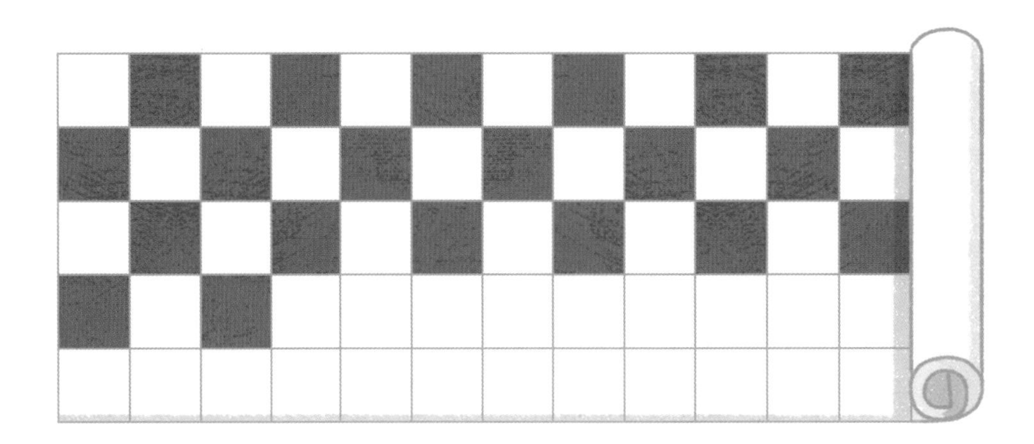

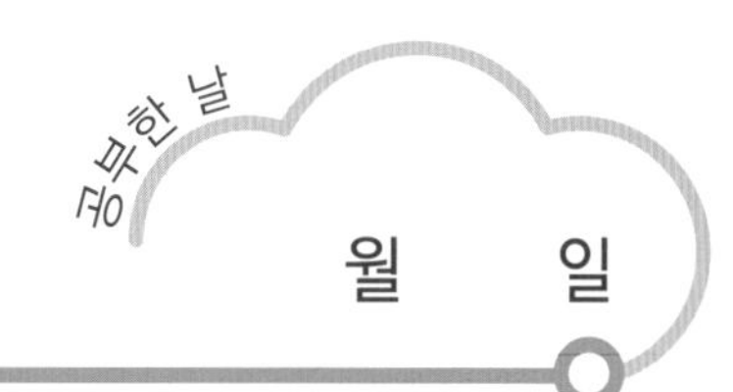

정답 108쪽

연속된 무늬의 규칙을 찾아 이어서 색칠하세요.

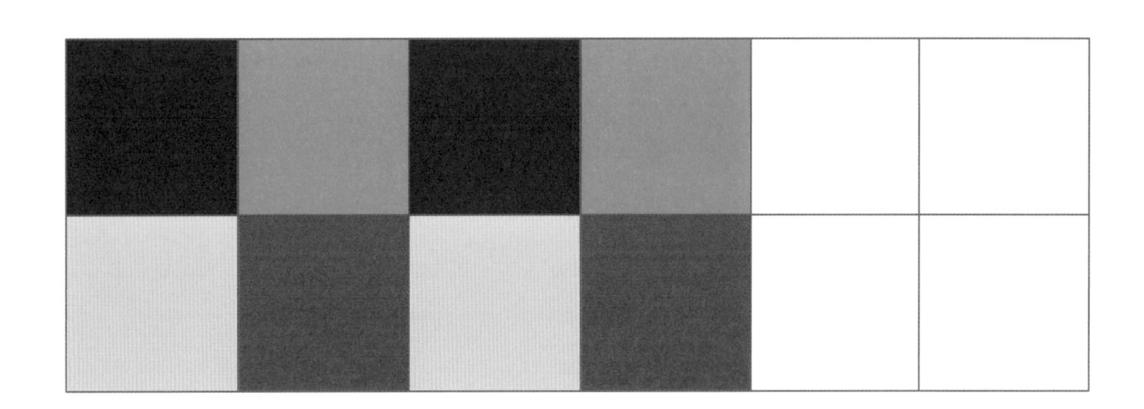

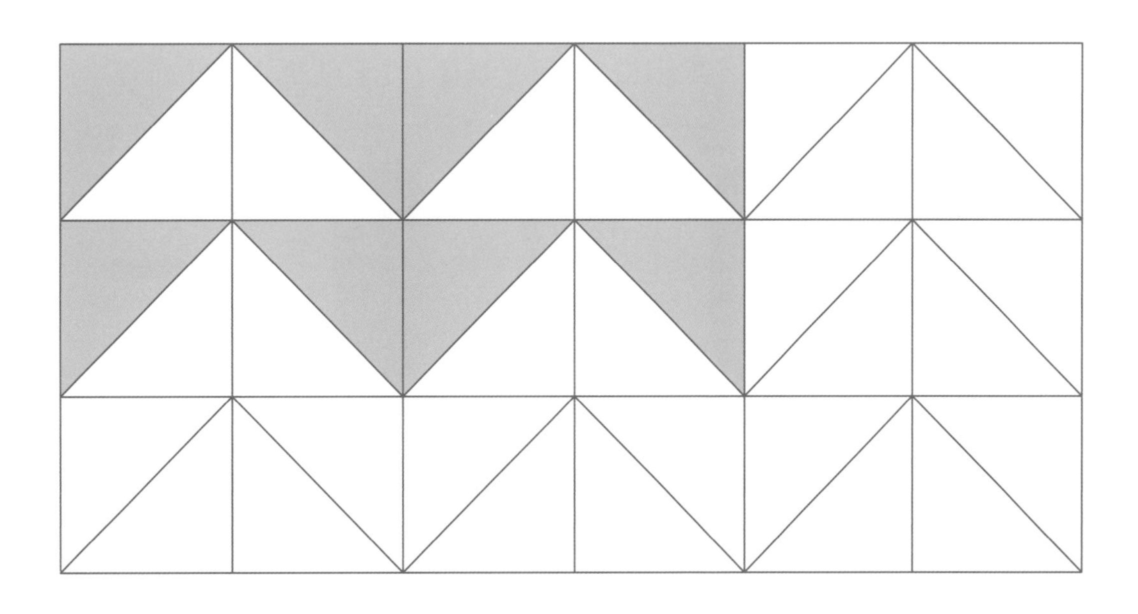

37일 모양으로 바꾸는 규칙

개념 활동 강의

간식의 규칙을 모양으로 바꾸어 볼까요?

소떡소떡 간식을 보면 일정한 규칙으로 꽂혀 있어요.
이 규칙을 이용하여 모양으로 나타내면
소시지를 ♥로, 떡을 ■로 나타낼 수 있어요.

그림 규칙에 따라 ♥와 ■를 이용하여 나머지 부분을 그리세요.

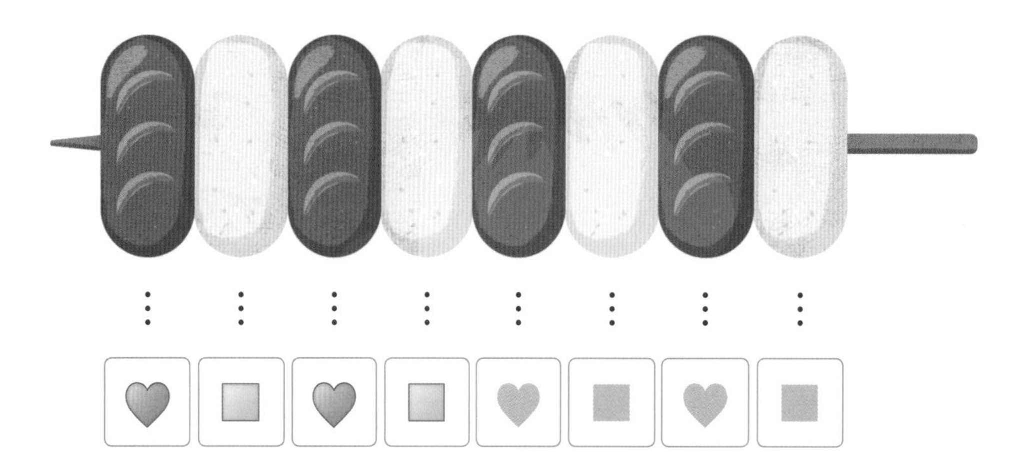

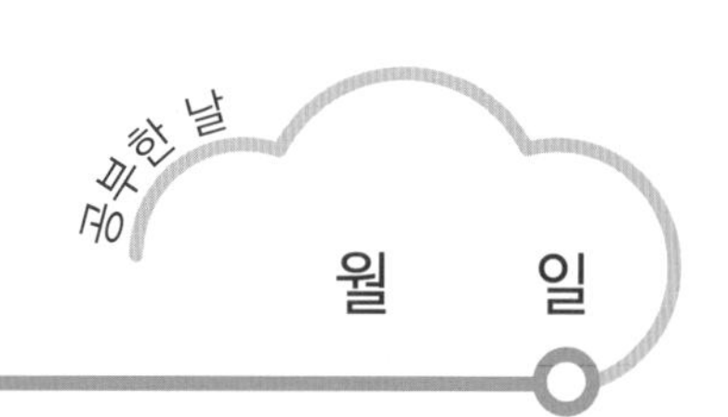

정답 108쪽

그림이 그려진 윗옷의 그림 규칙을 모양으로 바꾸어 나타낸 것을 찾아 선으로 연결하세요.

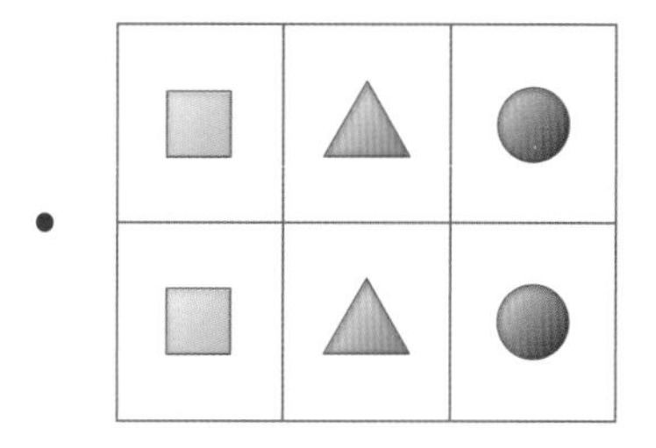

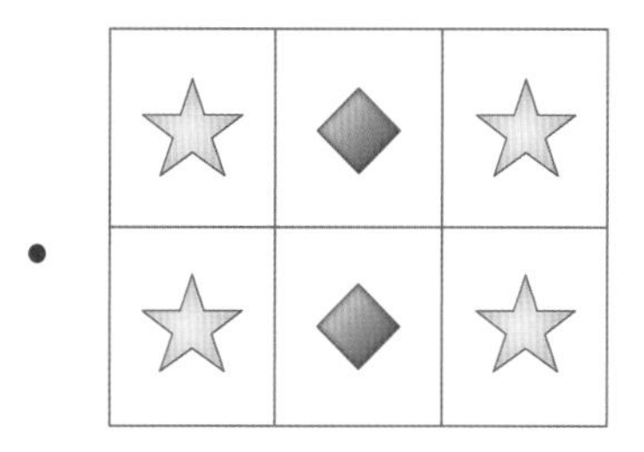

수로 바꾸는 규칙

개념 활동 강의

과일의 규칙을 숫자로 바꾸어 볼까요?

과일 가게에 여러 가지 과일이 일정한 규칙으로 놓여 있어요.
이 규칙을 이용하여 숫자로 나타내면
파인애플은 1로, 사과는 2로 나타낼 수 있어요.

과일의 규칙에 따라 1과 2를 이용하여 나머지 부분을 나타내세요.

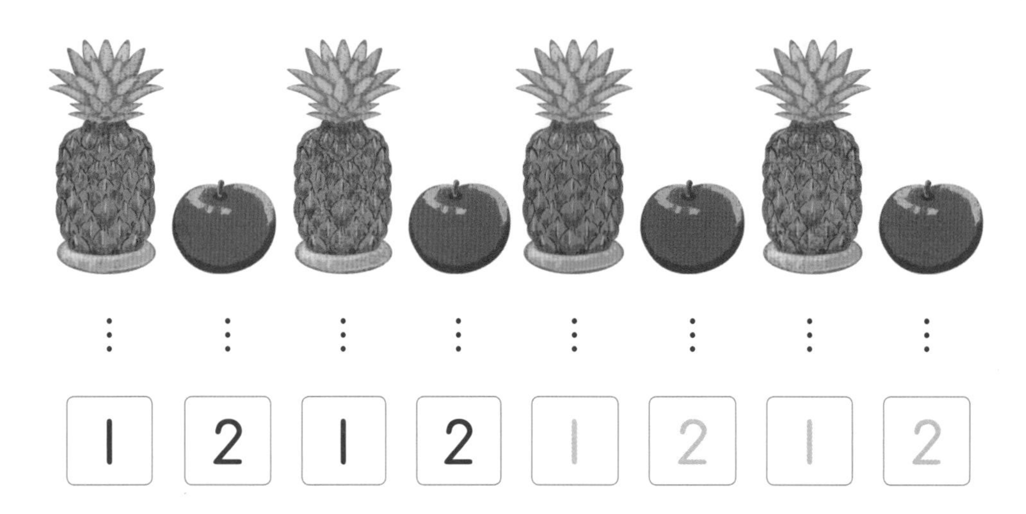

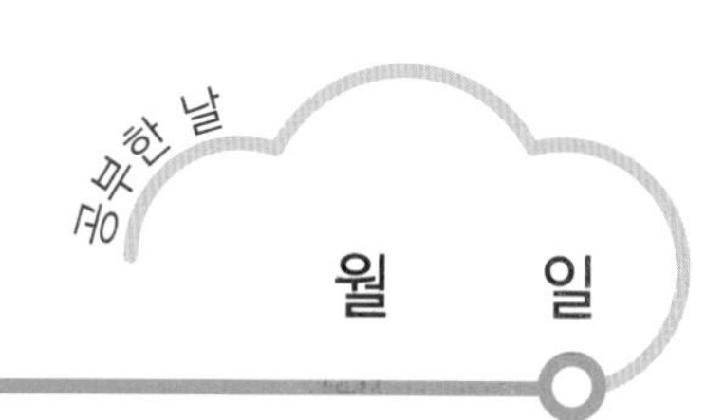

케이크 위에 있는 과일의 규칙을 숫자로 바꾸어 나타낸 것을 찾아 선으로 연결하세요.

1	2	1
1	2	1

1	2	3
1	2	3

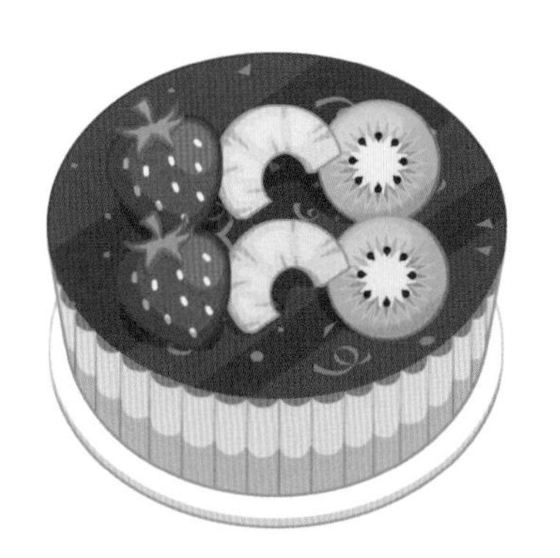

1	1	2
1	1	2

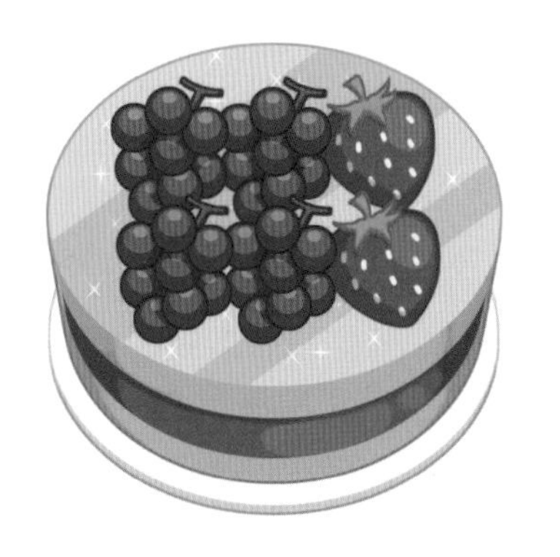

1	2	2
1	2	2

찾는 수 배열 규칙

열차에 쓰여진 수 규칙을 찾아볼까요?

열차의 칸마다 왼쪽에서부터 2, 4, 6⋯⋯ 순서로
번호가 붙어 있어요.
열차의 번호를 보니 일정한 수만큼 커지고 있네요.

열차의 빈칸에 번호를 쓰고, 몇씩 커지는 규칙인지 □ 안에 쓰세요.

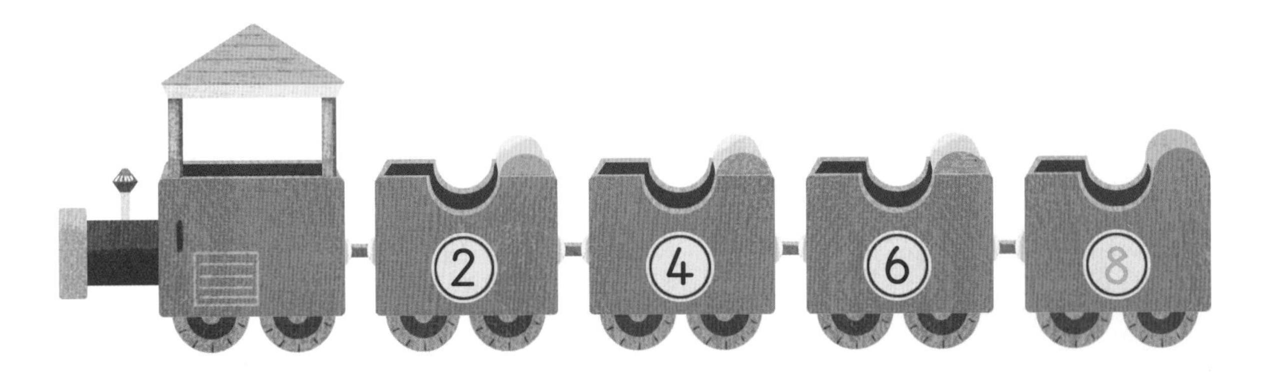

2 씩 커지는 규칙

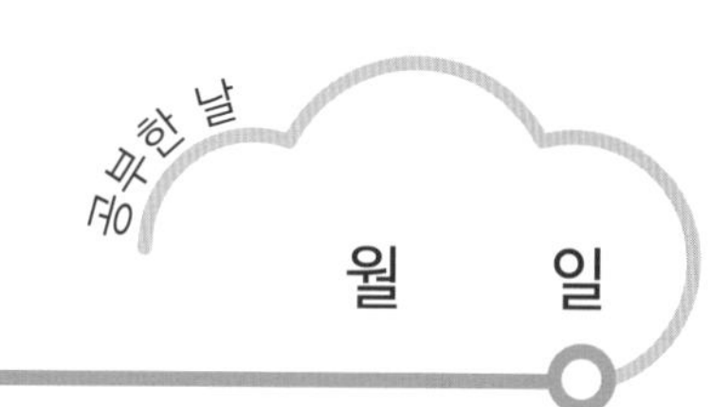

규칙에 따라 빈칸에 알맞은 수를 쓰세요.

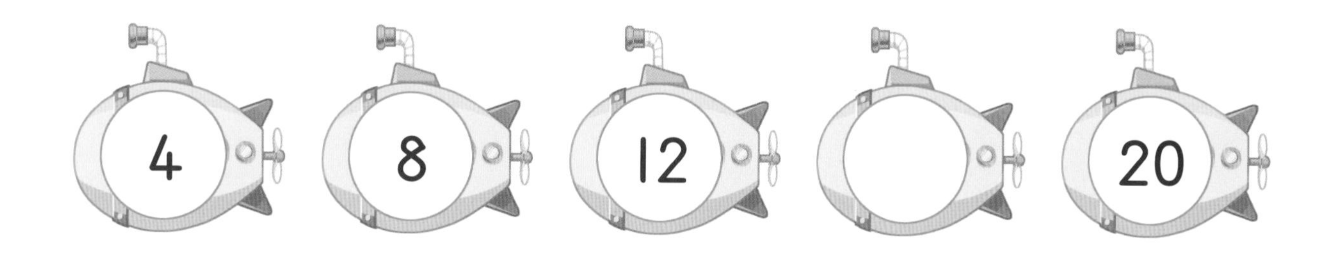

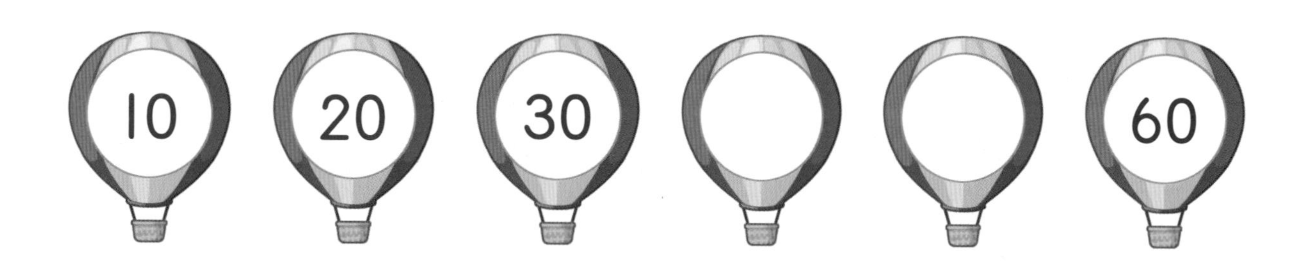

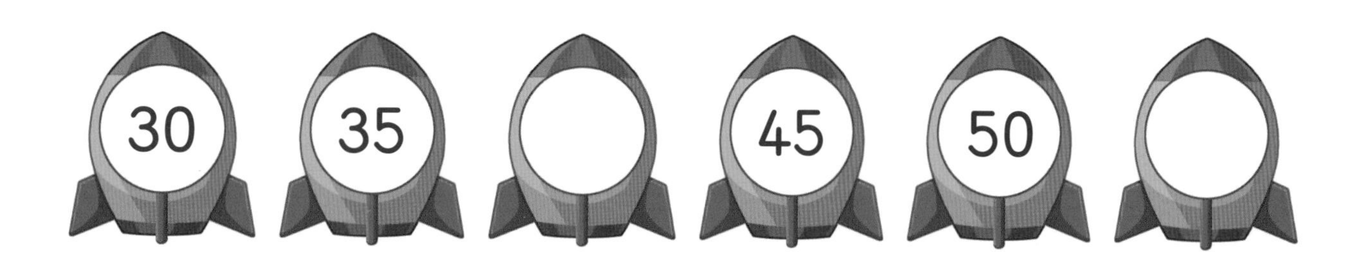

찾는 수 배열표 규칙

개념 활동 강의

쿠키 모양으로 수 배열표의 규칙을 찾아볼까요?

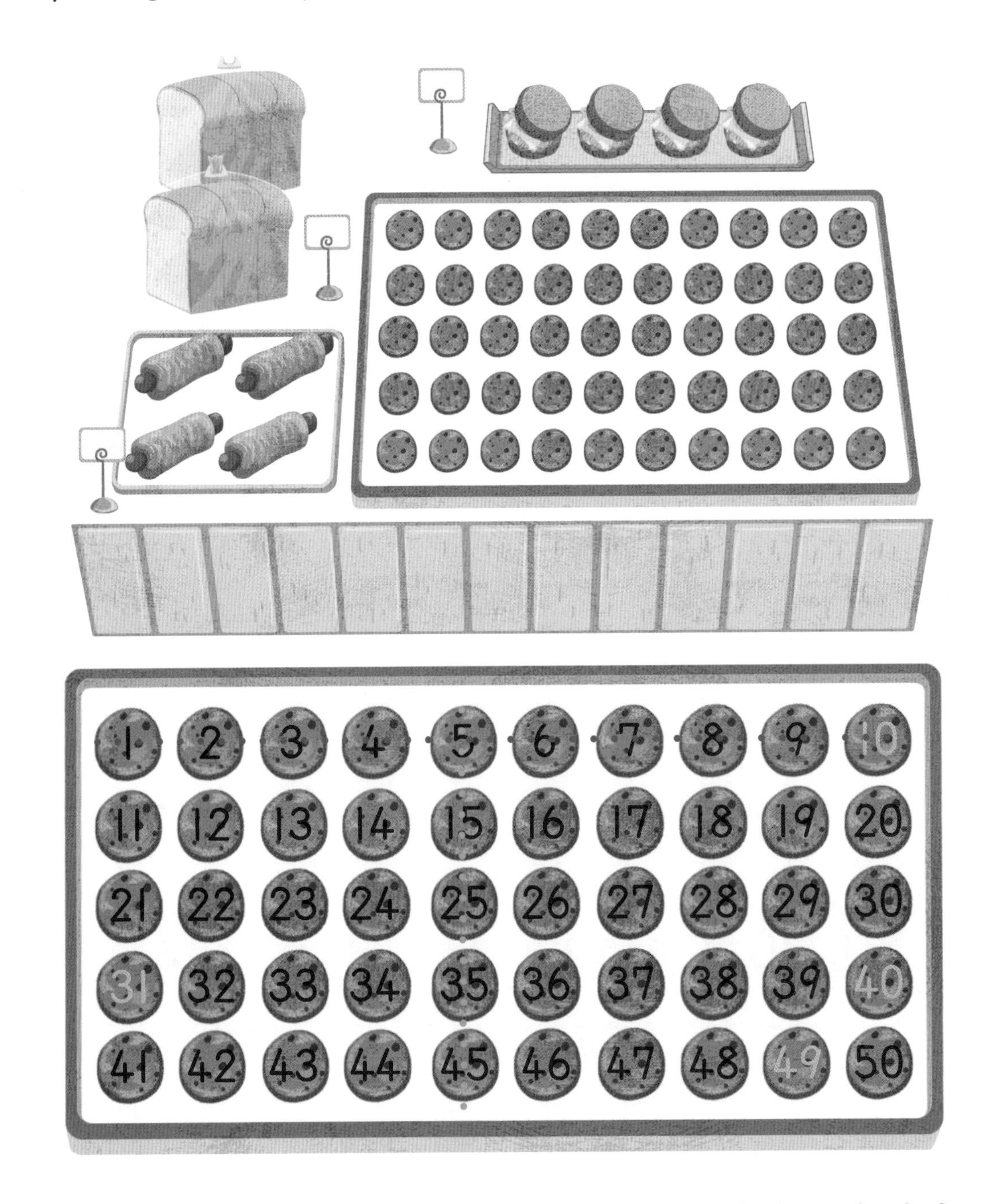

1부터 50까지의 수가 쓰여 있는 쿠키가 쟁반 위에 놓여 있어요.

⋯에 있는 수는 1부터 오른쪽으로 1칸 갈 때마다 1씩 커져요.

⋯에 있는 수는 5부터 아래쪽으로 1칸 갈 때마다 10씩 커져요.

빨간색 점선 규칙과 파란색 점선 규칙 이외에 다양한 규칙을 아이가 찾아보도록 해 보세요.

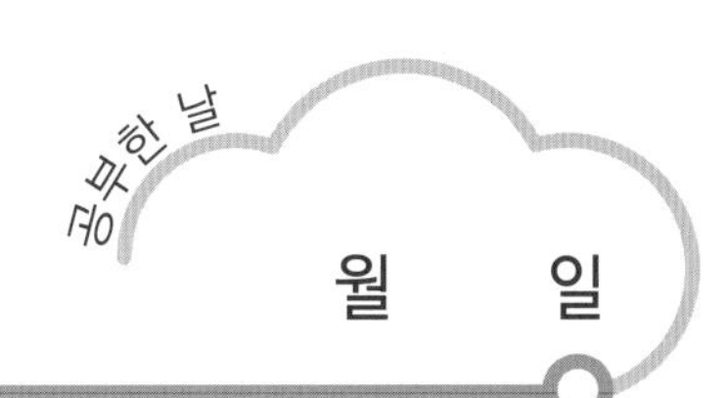

수 배열표를 보고 규칙에 따라 빈칸에 알맞은 수를 쓰세요.

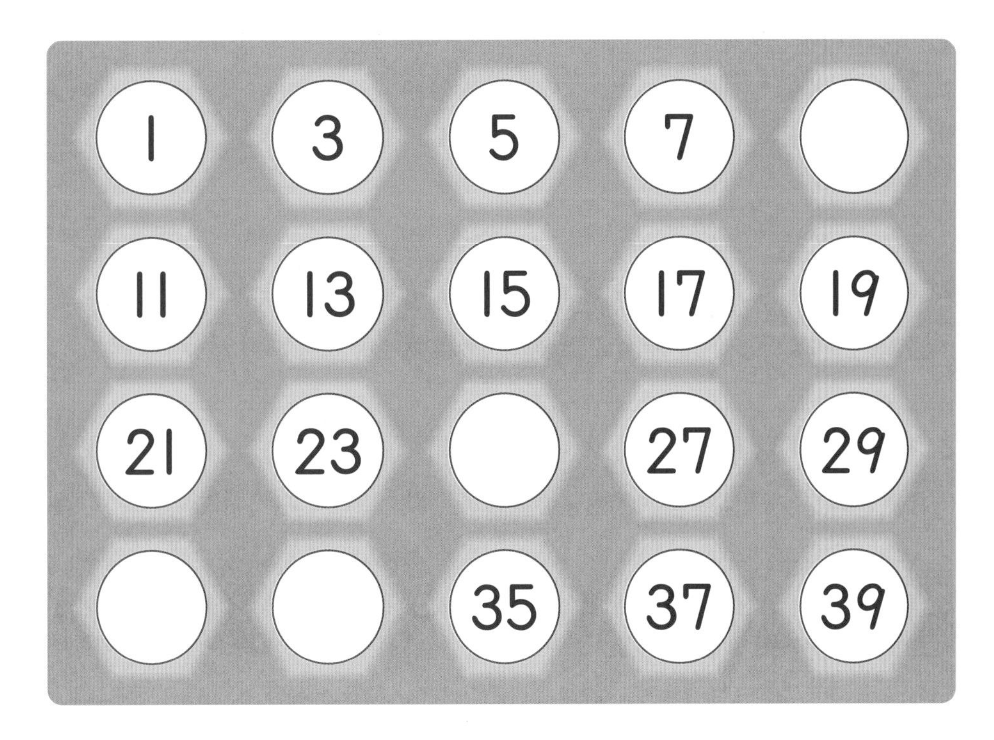

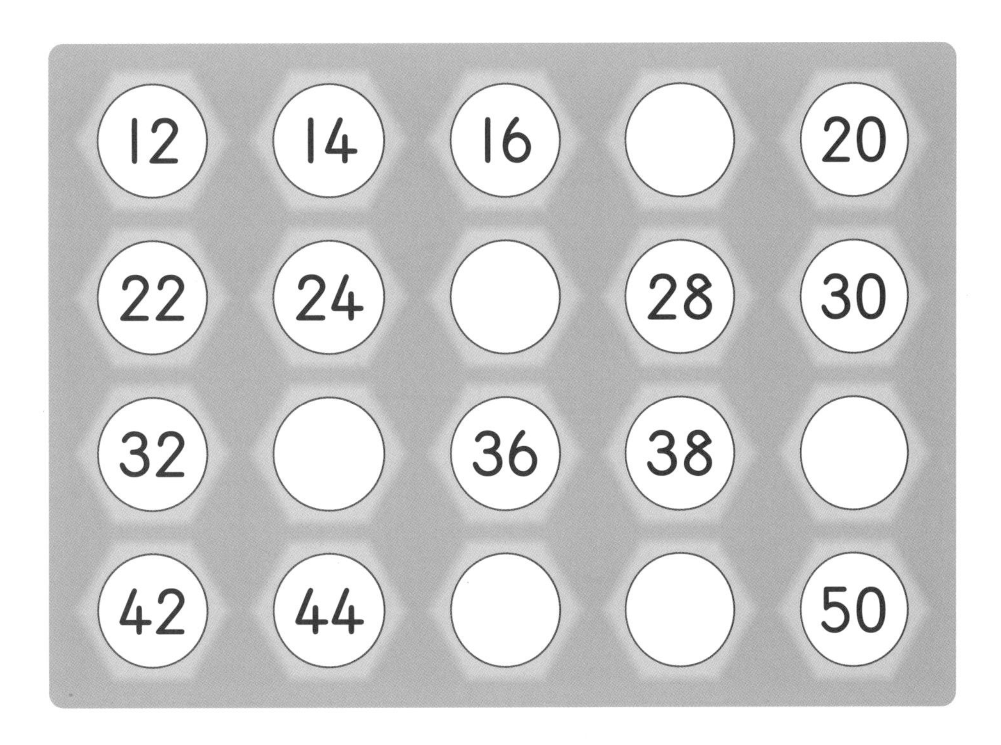

모양에 알맞은 색을 칠해요

보기 를 잘 보고 각 모양에 주어진 색으로 아래 그림을 예쁘게 색칠하세요.

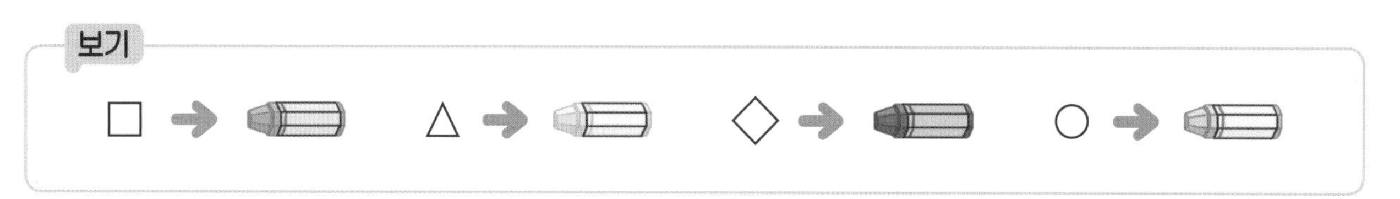

정답

주제 3

시계 보기

1일
10~11쪽

1일 시곗바늘

개념 활동 강의

정답 96쪽

공부한 날 월 일

시계에 있는 바늘을 살펴볼까요?

시계에는 길이가 다른 막대가 2개 있어요.
긴 막대는 긴바늘, 짧은 막대는 짧은바늘이라고 해요.

긴바늘은 파란색, 짧은바늘은 빨간색으로 색칠하세요.

□ 안에 긴바늘은 ○표, 짧은바늘은 ×표 하세요.

‹ 10 › ‹ 11 ›

2일
12~13쪽

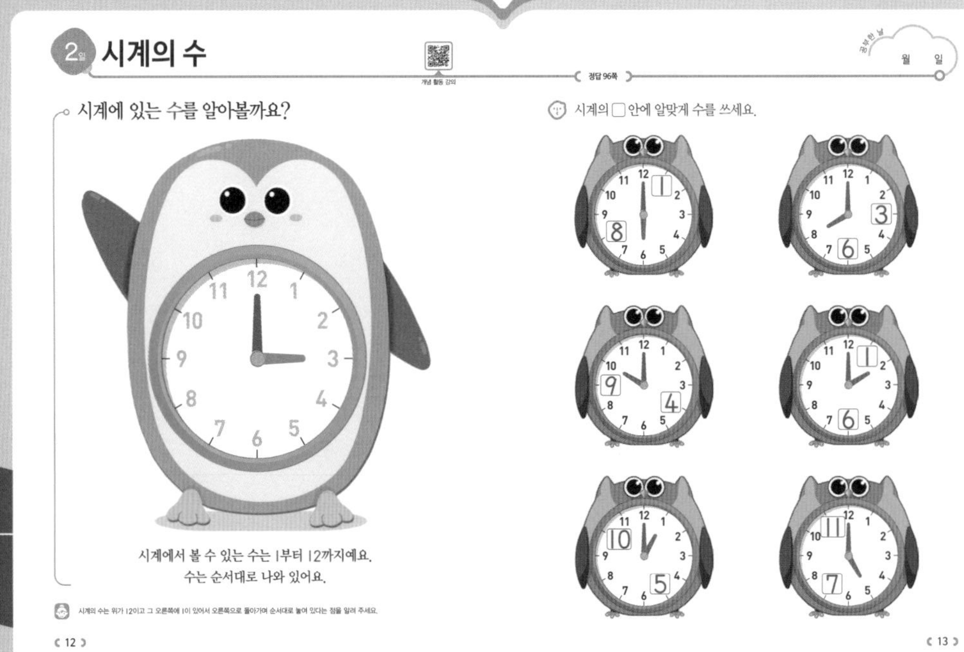
2일 시계의 수

개념 활동 강의

정답 96쪽

공부한 날 월 일

시계에 있는 수를 알아볼까요?

시계에서 볼 수 있는 수는 1부터 12까지예요.
수는 순서대로 나와 있어요.

시계의 수는 위가 12이고 그 오른쪽에 1이 있어서 오른쪽으로 돌아가며 순서대로 놓여 있다는 것을 알려 주세요.

시계의 □ 안에 알맞게 수를 쓰세요.

‹ 12 › ‹ 13 ›

3일
14~15쪽

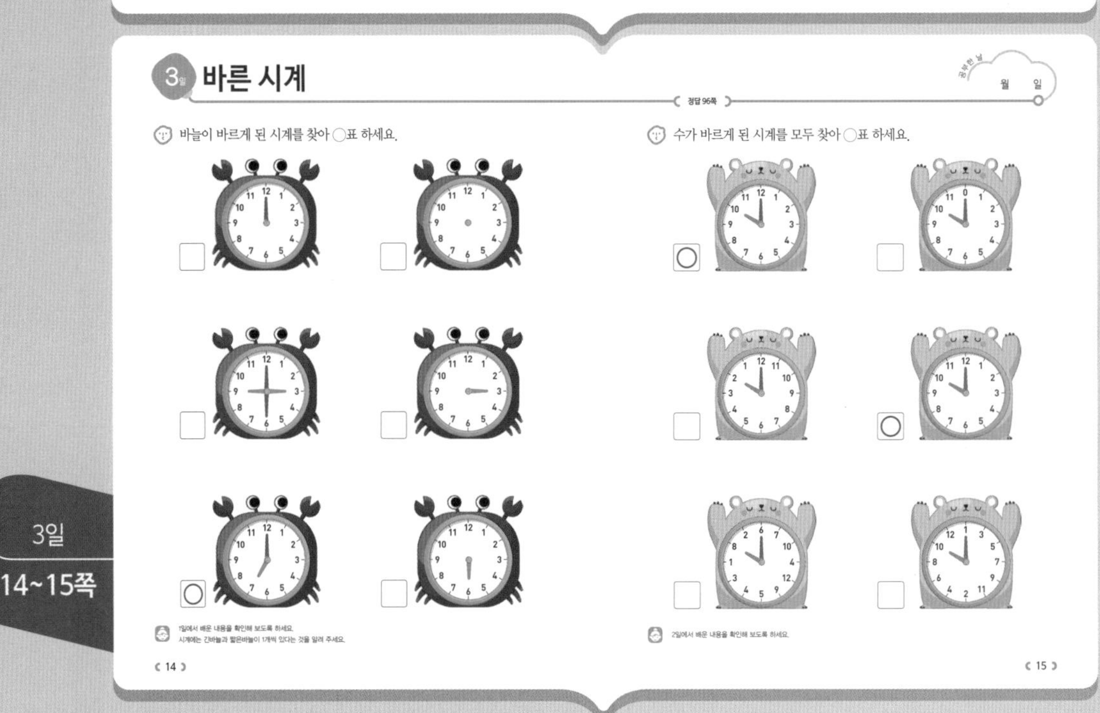
3일 바른 시계

정답 96쪽

공부한 날 월 일

바늘이 바르게 된 시계를 찾아 ○표 하세요.

1일에서 배운 내용을 확인해 보도록 하세요.
시계에는 긴바늘과 짧은바늘이 1개씩 있다는 것을 알려 주세요.

수가 바르게 된 시계를 모두 찾아 ○표 하세요.

2일에서 배운 내용을 확인해 보도록 하세요.

‹ 14 › ‹ 15 ›

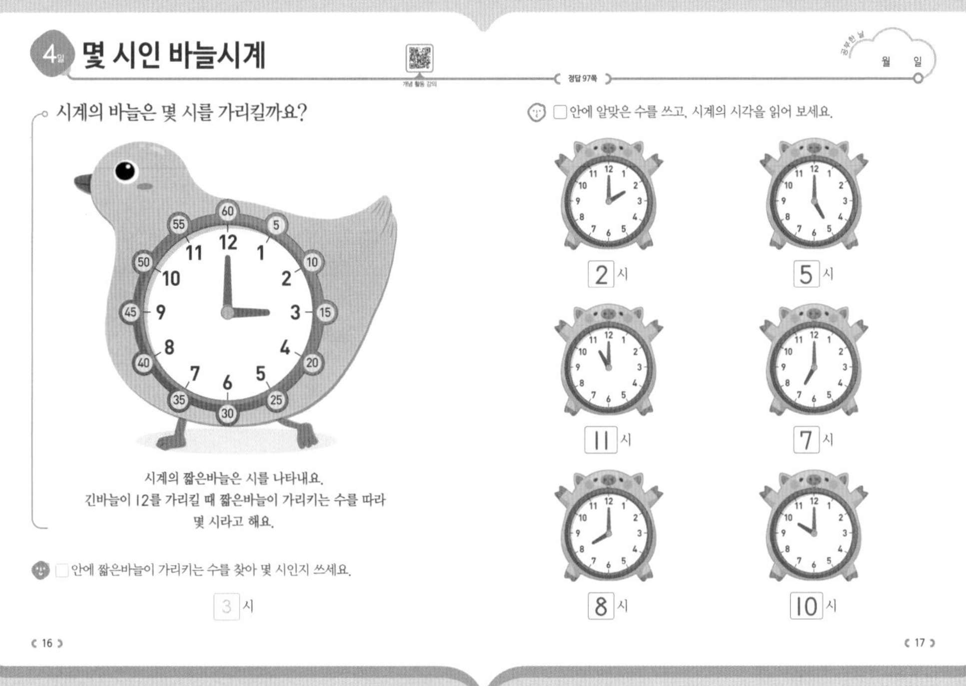

4일 몇 시인 바늘시계

정답 97쪽

공부한 날 월 일

시계의 바늘은 몇 시를 가리킬까요?

시계의 짧은바늘은 시를 나타내요.
긴바늘이 12를 가리킬 때 짧은바늘이 가리키는 수를 따라
몇 시라고 해요.

□ 안에 짧은바늘이 가리키는 수를 찾아 몇 시인지 쓰세요.

3 시

□ 안에 알맞은 수를 쓰고, 시계의 시각을 읽어 보세요.

2 시 5 시

11 시 7 시

8 시 10 시

16 17

4일
16~17쪽

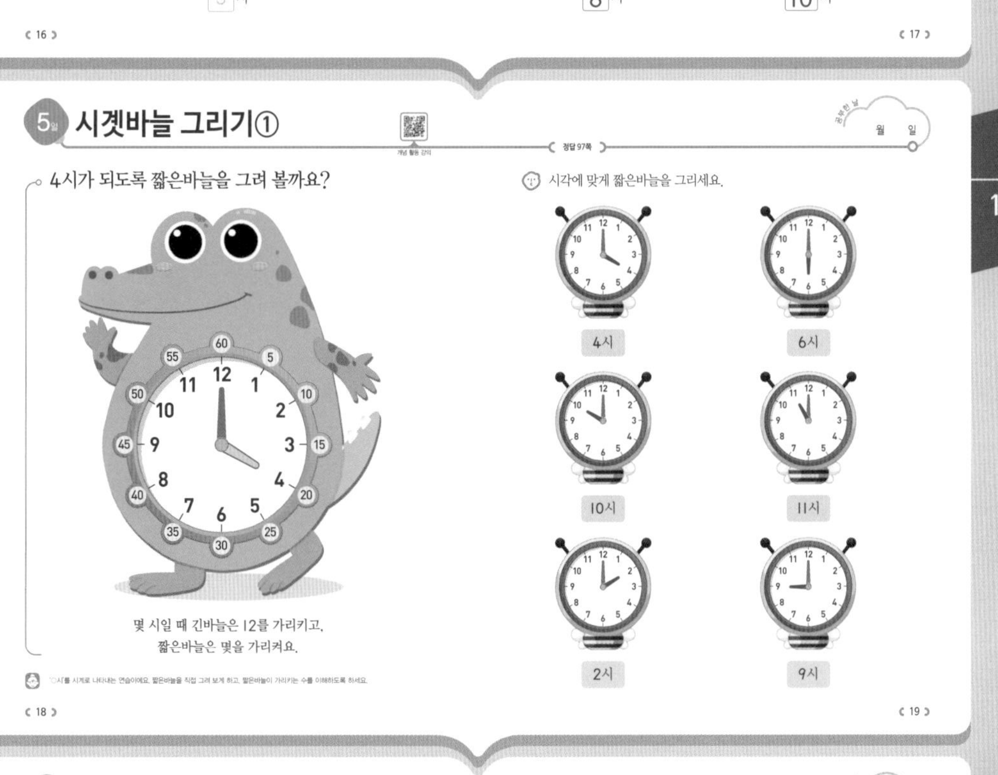

5일 시곗바늘 그리기①

정답 97쪽

공부한 날 월 일

4시가 되도록 짧은바늘을 그려 볼까요?

몇 시일 때 긴바늘은 12를 가리키고,
짧은바늘은 몇을 가리켜요.

시각에 맞게 짧은바늘을 그리세요.

4시 6시

10시 11시

2시 9시

18 19

5일
18~19쪽

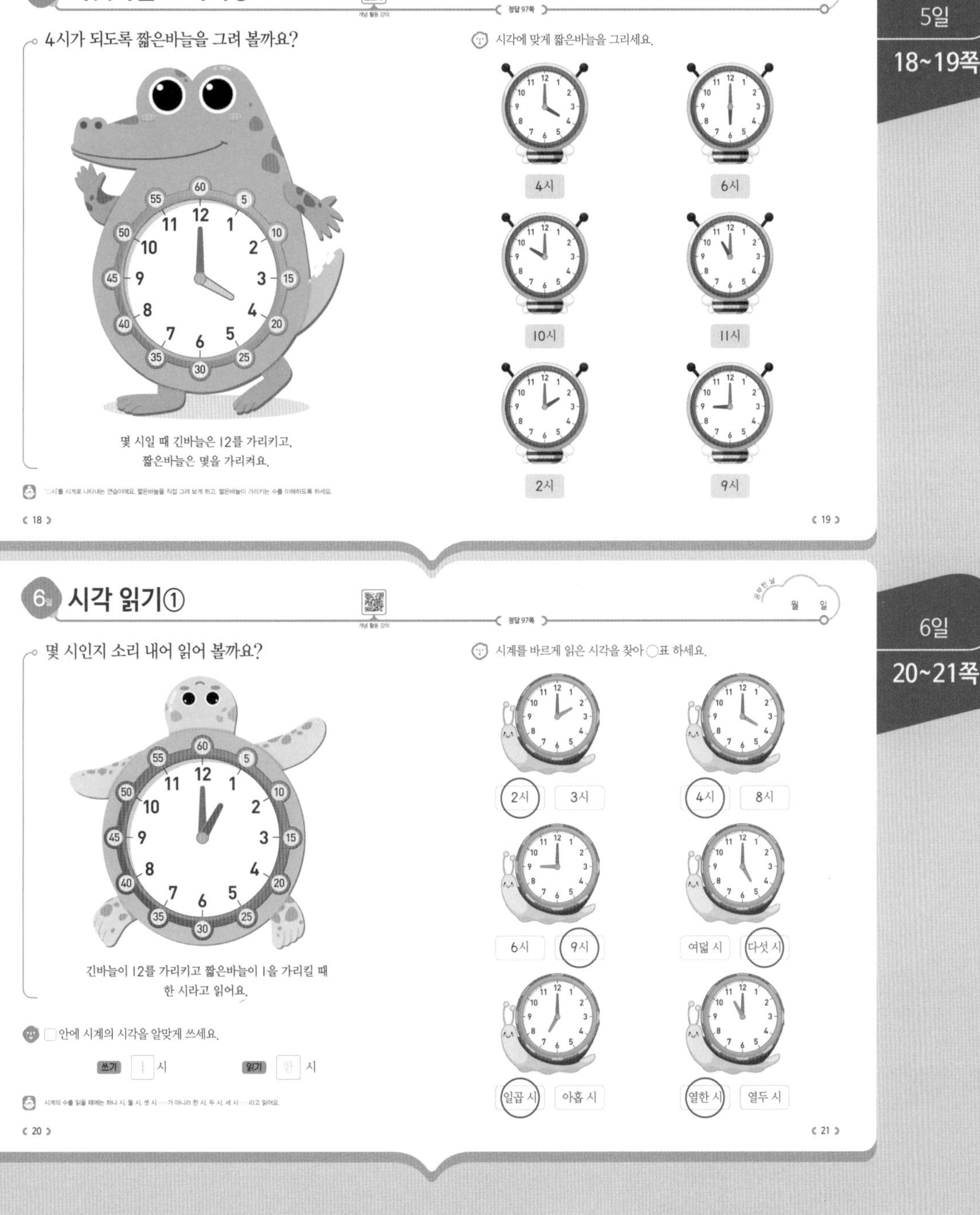

6일 시각 읽기①

정답 97쪽

공부한 날 월 일

몇 시인지 소리 내어 읽어 볼까요?

긴바늘이 12를 가리키고 짧은바늘이 1을 가리킬 때
한 시라고 읽어요.

□ 안에 시계의 시각을 알맞게 쓰세요.

쓰기 1 시 읽기 한 시

시계를 바르게 읽은 시각을 찾아 ○표 하세요.

(2시) 3시 (4시) 8시

6시 (9시) 여덟 시 (다섯 시)

(일곱 시) 아홉 시 (열한 시) 열두 시

20 21

6일
20~21쪽

7일
22~23쪽

7일 몇 시인 디지털시계

개념 활용 강의

정답 98쪽

공부한 날 월 일

디지털시계는 몇 시를 어떻게 나타낼까요?

10:00

디지털시계는 바늘 대신 수로 시각을 나타내요.
디지털시계의 오른쪽에 적힌 수가 00일 때,
왼쪽에 적힌 수를 따라 몇 시라고 해요.

□안에 디지털시계의 왼쪽에 적힌 수를 보고 몇 시인지 쓰세요.

10 시

□안에 알맞은 수를 쓰고, 시계의 시각을 읽어 보세요.

8:00 → 8 시
6:00 → 6 시
3:00 → 3 시
7:00 → 7 시
11:00 → 11 시
12:00 → 12 시

22 | 23

8일
24~25쪽

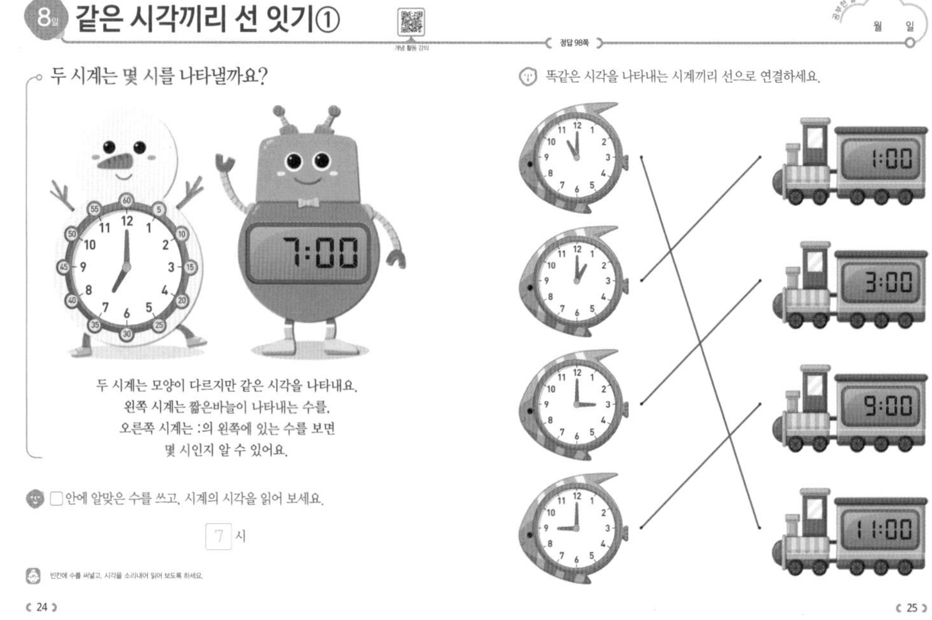

8일 같은 시각끼리 선 잇기①

개념 활용 강의

정답 98쪽

공부한 날 월 일

두 시계는 몇 시를 나타낼까요?

7:00

두 시계는 모양이 다르지만 같은 시각을 나타내요.
왼쪽 시계는 짧은바늘이 나타내는 수를,
오른쪽 시계는 :의 왼쪽에 있는 수를 보면
몇 시인지 알 수 있어요.

□안에 알맞은 수를 쓰고, 시계의 시각을 읽어 보세요.

7 시

빈칸에 수를 써넣고, 시각을 소리내어 읽어 보도록 하세요.

똑같은 시각을 나타내는 시계끼리 선으로 연결하세요.

1:00
3:00
9:00
11:00

24 | 25

9일
26~27쪽

9일 시각 읽어 길 찾기①

정답 98쪽

공부한 날 월 일

시계의 시각을 바르게 읽은 쪽을 따라 선을 그어 미로를 탈출하세요.

시계를 보고 시각을 바르게 읽은 쪽의 길로 나아가도록 해 주세요.

시각에 맞는 시계 그림을 따라 선을 그어 미로를 탈출하세요.

시각을 보고 맞는 시계가 있는 길로 나아가도록 해 주세요.

26 | 27

10일
28~29쪽

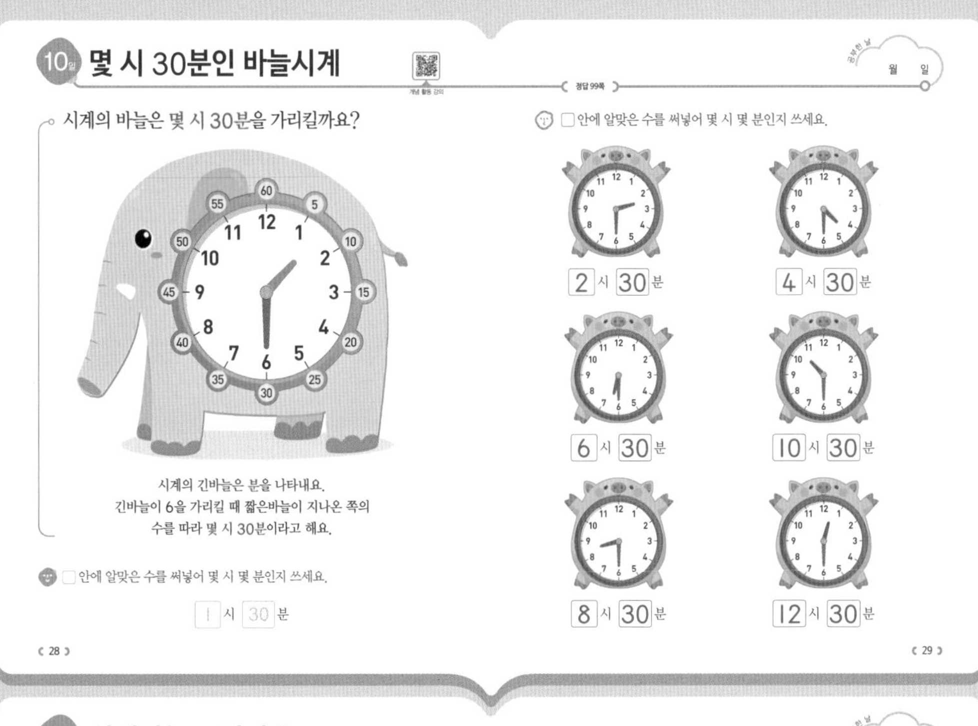

10일 몇 시 30분인 바늘시계

시계의 바늘은 몇 시 30분을 가리킬까요?

시계의 긴바늘은 분을 나타내요.
긴바늘이 6을 가리킬 때 짧은바늘이 지나온 쪽의
수를 따라 몇 시 30분이라고 해요.

□안에 알맞은 수를 써넣어 몇 시 몇 분인지 쓰세요.

1 시 30 분

□안에 알맞은 수를 써넣어 몇 시 몇 분인지 쓰세요.

2 시 30 분 | 4 시 30 분
6 시 30 분 | 10 시 30 분
8 시 30 분 | 12 시 30 분

《 28 》 《 29 》

11일
30~31쪽

11일 시곗바늘 그리기②

3시 30분이 되도록 긴바늘을 그려 볼까요?

3시 30분일 때 짧은바늘은 3과 4 사이를 가리키고,
긴바늘은 6을 가리켜요.

시각에 맞게 긴바늘을 그리세요.

3시 30분 | 5시 30분
8시 30분 | 11시 30분
10시 30분 | 12시 30분

《 30 》 《 31 》

12일
32~33쪽

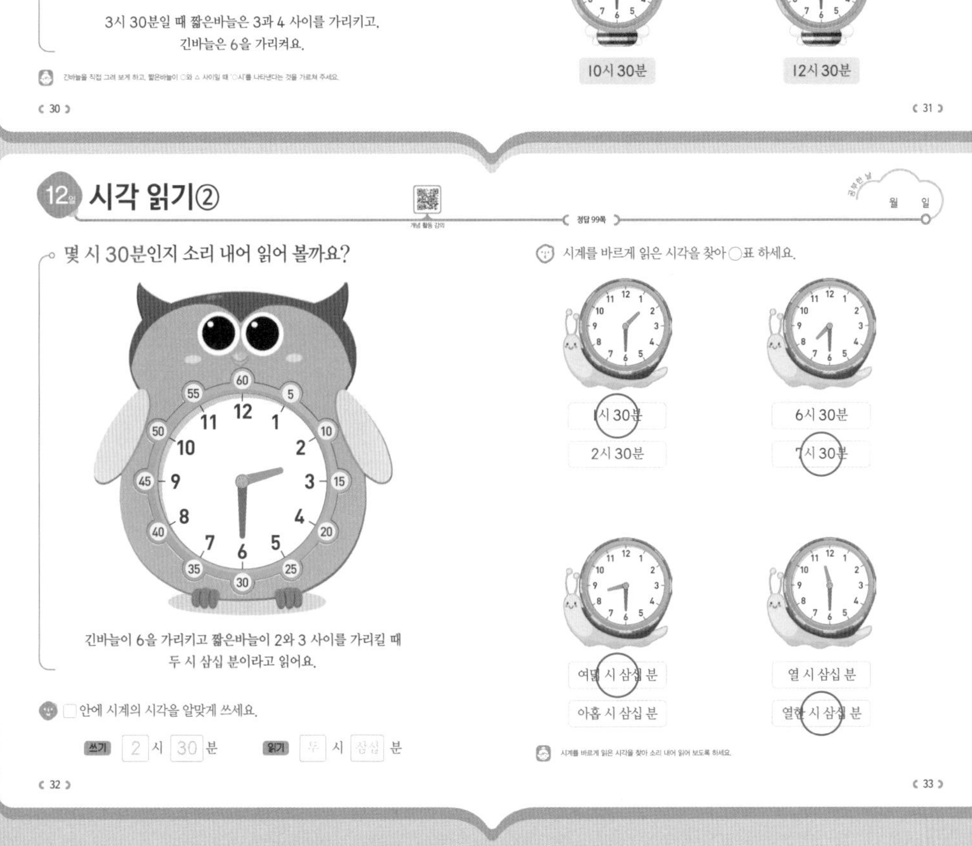

12일 시각 읽기②

몇 시 30분인지 소리 내어 읽어 볼까요?

긴바늘이 6을 가리키고 짧은바늘이 2와 3 사이를 가리킬 때
두 시 삼십 분이라고 읽어요.

□안에 시계의 시각을 알맞게 쓰세요.

쓰기 2 시 30 분 읽기 두 시 삼십 분

시계를 바르게 읽은 시각을 찾아 ○표 하세요.

1시 30분 / 2시 30분 | 6시 30분 / 7시 30분
여덟 시 삼십 분 / 아홉 시 삼십 분 | 열 시 삼십 분 / 열한 시 삼십 분

《 32 》 《 33 》

13일 34~35쪽

13일 몇 시 30분인 디지털시계

정답 100쪽

디지털시계는 몇 시 30분을 어떻게 나타낼까요?

디지털시계는 바늘 대신 수로 시각을 나타내요.
디지털시계의 오른쪽에 적힌 수가 30일 때,
왼쪽에 적힌 수를 따라 몇 시 30분이라고 해요.

□안에 디지털시계에 적힌 수를 보고 몇 시 몇 분인지 쓰세요.

10 시 30 분

□안에 알맞은 수를 쓰고, 시계의 시각을 읽어 보세요.

8 시 30 분 / 2 시 30 분
6 시 30 분 / 5 시 30 분
10 시 30 분 / 12 시 30 분

14일 36~37쪽

14일 같은 시각끼리 선 잇기②

정답 100쪽

두 시계는 몇 시 30분을 나타낼까요?

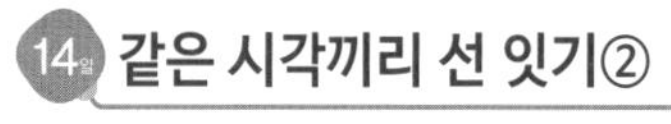

두 시계는 모양이 다르지만 같은 시각을 나타내요.
왼쪽 시계는 짧은바늘이 나타내는 수를,
오른쪽 시계는 :의 왼쪽에 있는 수를 보면
몇 시 30분인지 알 수 있어요.

□안에 알맞은 수를 쓰고, 시계의 시각을 읽어 보세요.

7 시 30 분

똑같은 시각을 나타내는 시계끼리 선으로 연결하세요.

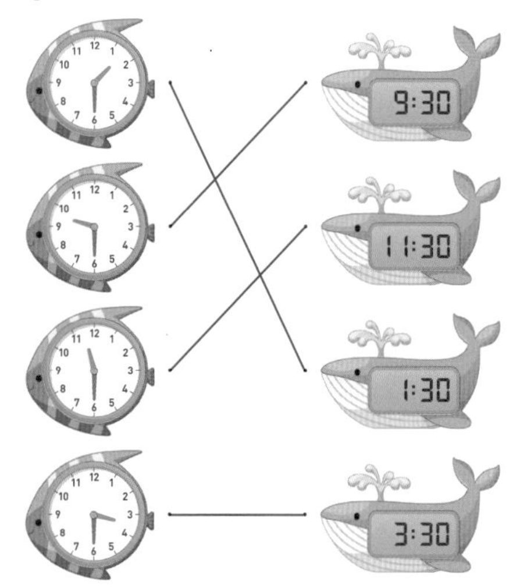

15일 38~39쪽

15일 시각 읽어 길 찾기②

정답 100쪽

시계의 시각을 바르게 읽은 쪽을 따라 선을 그어 미로를 탈출하세요.

시각에 맞는 시계 그림을 따라 선을 그어 미로를 탈출하세요.

16일
40~41쪽

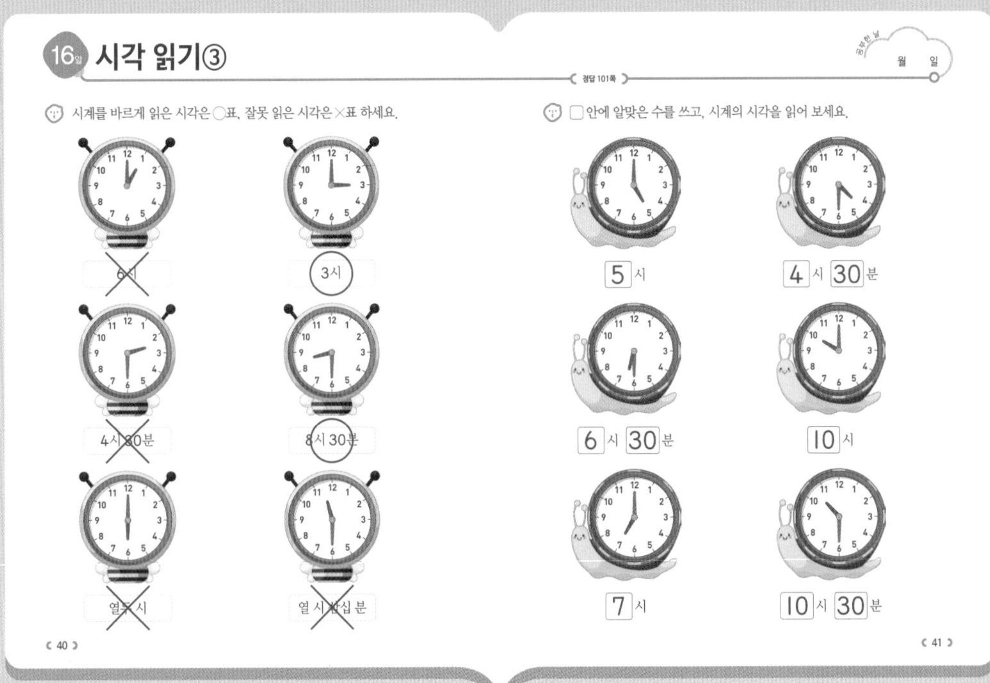
16일 시각 읽기③

정답 101쪽

공부한 날 월 일

시계를 바르게 읽은 시각은 ○표, 잘못 읽은 시각은 ×표 하세요.

6시 (×) 3시 (○)
4시 30분 (×) 8시 30분 (○)
열두 시 (×) 열 시 삼십 분 (×)

□ 안에 알맞은 수를 쓰고, 시계의 시각을 읽어 보세요.

5 시 4 시 30 분
6 시 30 분 10 시
7 시 10 시 30 분

〈 40 〉 〈 41 〉

17일
42~43쪽

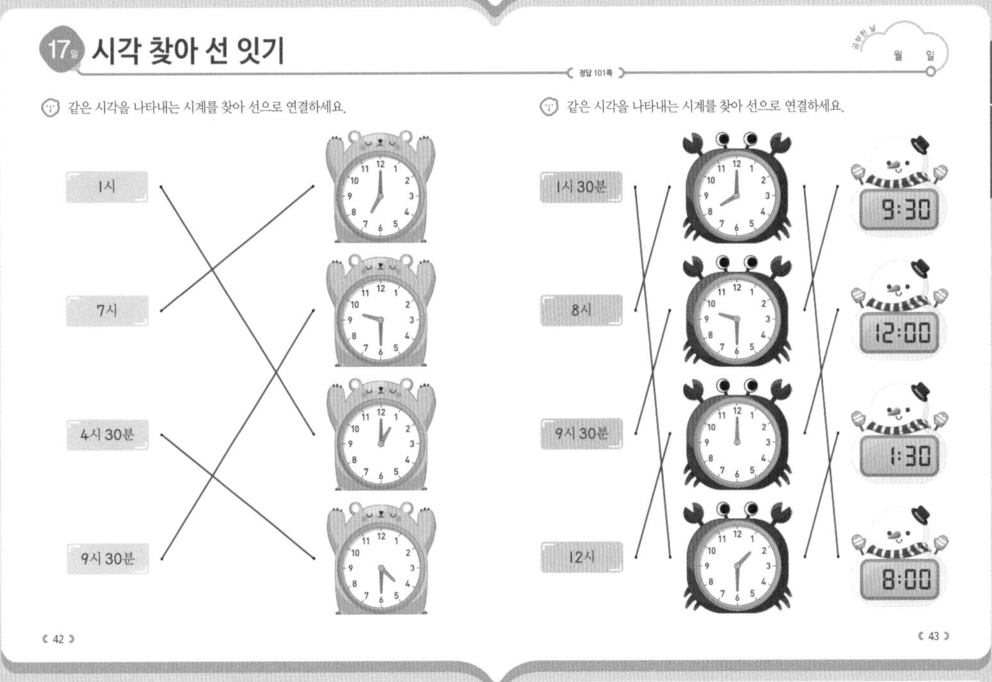
17일 시각 찾아 선 잇기

정답 101쪽

공부한 날 월 일

같은 시각을 나타내는 시계를 찾아 선으로 연결하세요.

1시
7시
4시 30분
9시 30분

같은 시각을 나타내는 시계를 찾아 선으로 연결하세요.

1시 30분
8시
9시 30분
12시

9:30
12:00
1:30
8:00

〈 42 〉 〈 43 〉

18일
44~45쪽

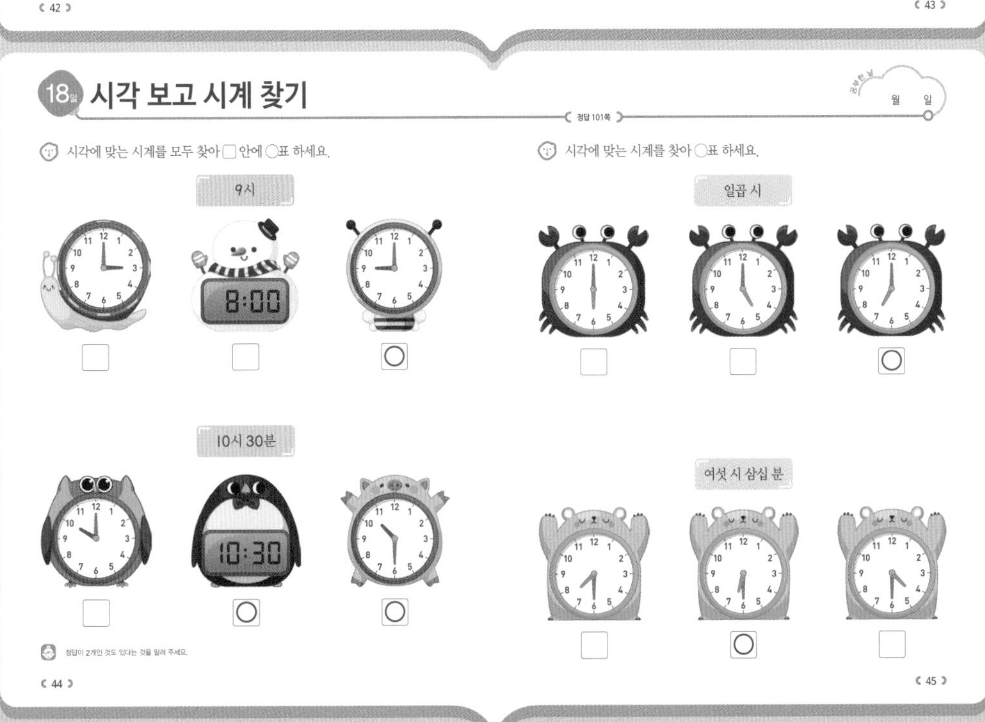
18일 시각 보고 시계 찾기

정답 101쪽

공부한 날 월 일

시각에 맞는 시계를 모두 찾아 □ 안에 ○표 하세요.

9시

8:00

10시 30분

10:30

정답이 2개인 것도 있다는 것을 알려 주세요.

시각에 맞는 시계를 찾아 ○표 하세요.

일곱 시

여섯 시 삼십 분

〈 44 〉 〈 45 〉

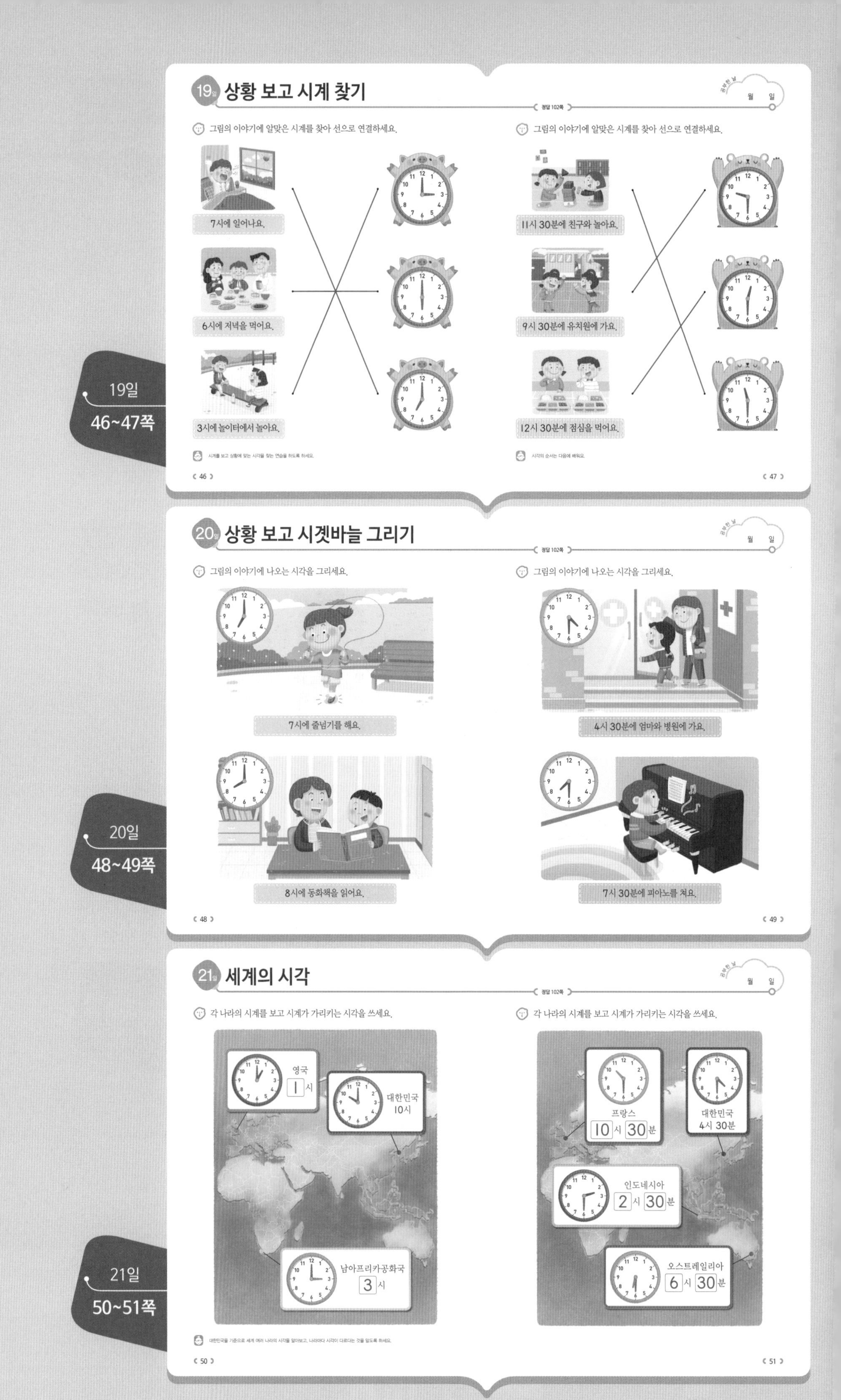
19일
46~47쪽
상황 보고 시계 찾기
그림의 이야기에 알맞은 시계를 찾아 선으로 연결하세요.
7시에 일어나요.
6시에 저녁을 먹어요.
3시에 놀이터에서 놀아요.
11시 30분에 친구와 놀아요.
9시 30분에 유치원에 가요.
12시 30분에 점심을 먹어요.
20일
48~49쪽
상황 보고 시곗바늘 그리기
그림의 이야기에 나오는 시각을 그리세요.
7시에 줄넘기를 해요.
8시에 동화책을 읽어요.
4시 30분에 엄마와 병원에 가요.
7시 30분에 피아노를 쳐요.
21일
50~51쪽
세계의 시각
각 나라의 시계를 보고 시계가 가리키는 시각을 쓰세요.
영국 1시
대한민국 10시
남아프리카공화국 3시
프랑스 10시 30분
대한민국 4시 30분
인도네시아 2시 30분
오스트레일리아 6시 30분

22일 시각의 순서①

정답 103쪽

22일 52~53쪽

은서가 오늘 하루 한 일을 차례로 나타낸 그림이에요. 시계가 나타낸 시각을 □ 안에 알맞게 쓰세요.

8 시에 양치질을 해요.

3 시 30 분에 유치원에서 돌아와요.

7 시에 저녁을 먹어요.

지우가 오늘 한 일을 차례로 나타낸 그림이에요. 그림의 이야기에 나오는 시각을 그리세요.

10시 30분에 박물관에 도착했어요.

3시에 박물관을 나왔어요.

3시 30분에 집에 도착했어요.

〈 52 〉 〈 53 〉

23일 시각의 순서②

정답 103쪽

23일 54~55쪽

알맞은 친구를 찾아 ◌ 안에 색칠하세요.

더 일찍 일어난 친구는 누구일까요?

더 일찍 아침밥을 먹은 친구는 누구일까요?

알맞은 친구를 찾아 ◌ 안에 색칠하세요.

더 늦게 양치질을 한 친구는 누구일까요?

더 늦게 잠자리에 든 친구는 누구일까요?

〈 54 〉 〈 55 〉

24일 시각의 순서③

정답 103쪽

24일 56~57쪽

민호의 유치원 생활을 나타낸 그림이에요. 시간 순서대로 □ 안에 1, 2, 3을 쓰세요.

3

4시에 친구와 놀아요.

1

9시 30분에 유치원에 가요.

2

2시에 간식을 먹어요.

민영이가 유치원에서 친구들과 논 일이 맨 처음 한 일일 때 시간 순서대로 □ 안에 2, 3, 4를 쓰세요.

저녁에
텔레비전을
봐요.

3

유치원에서
집으로
돌아와요.

2

유치원에서
친구들과 놀아요.

1

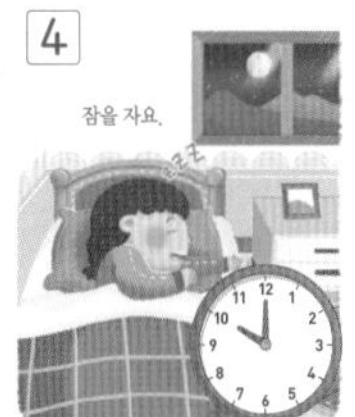
잠을 자요.

4

시계의 시각 중에서 10시라도 낮과 밤의 시각이 다르다는 것을 알도록 하고 낮이 밤보다 시각의 순서가 빠르다는 것을 알려 주세요.

〈 56 〉 〈 57 〉

25일
58~59쪽

25일 시각의 순서④
공부한 날 월 일
정답 104쪽
윤주의 가족이 집에 돌아온 시각이에요. 일찍 들어온 시각 순서대로 □ 안에 1, 2, 3, 4를 쓰세요.
1
4
3
2
민수는 친구들과 만나 놀이터에서 놀기로 했어요. 시간 순서대로 □ 안에 1, 2, 3, 4를 쓰세요.
12:30
2:00
3
1
4
2
58
59

주제 4

규칙 알기

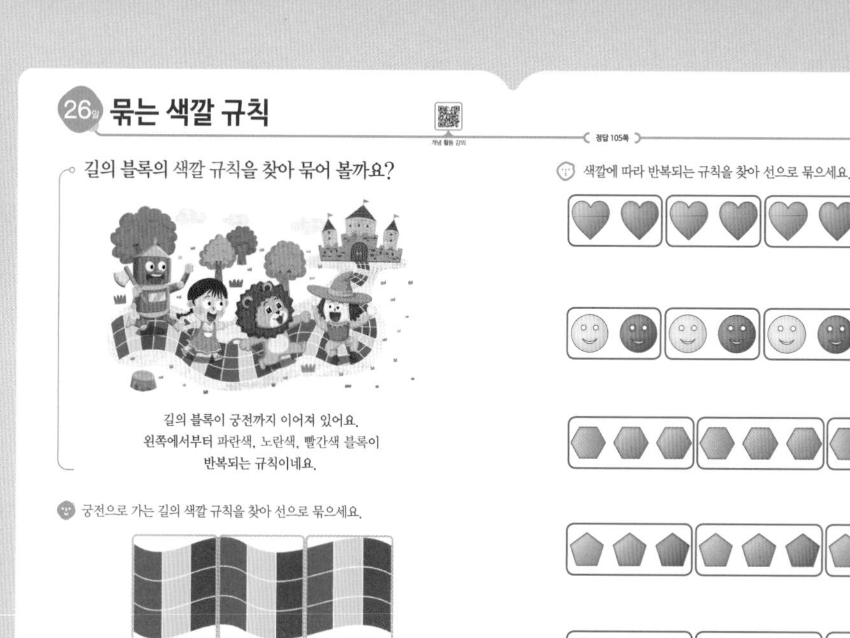

26일 묶는 색깔 규칙

길의 블록의 색깔 규칙을 찾아 묶어 볼까요?

길의 블록이 궁전까지 이어져 있어요.
왼쪽에서부터 파란색, 노란색, 빨간색 블록이
반복되는 규칙이네요.

궁전으로 가는 길의 색깔 규칙을 찾아 선으로 묶으세요.

색깔에 따라 반복되는 규칙을 찾아 선으로 묶으세요.

26일
64~65쪽

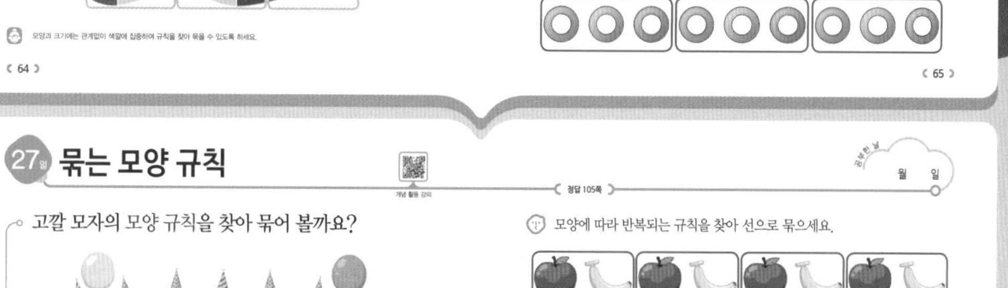

27일 묶는 모양 규칙

고깔 모자의 모양 규칙을 찾아 묶어 볼까요?

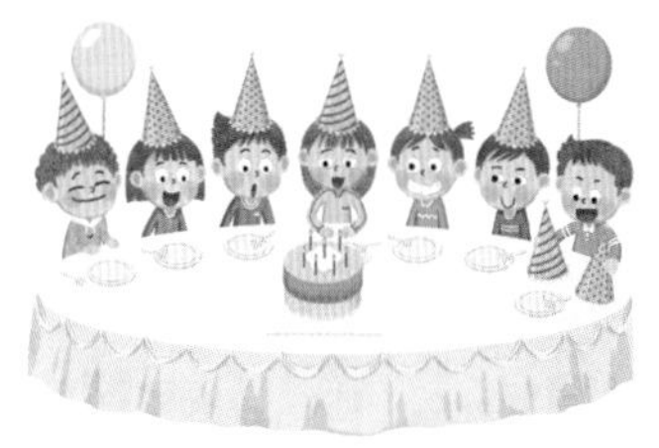

친구들이 고깔 모자를 쓰고 있어요.
왼쪽에서부터 줄무늬 모자, 물방울무늬 모자, 물방울무늬 모자가
반복되는 규칙이네요.

고깔 모자의 모양 규칙을 찾아 선으로 묶으세요.

모양에 따라 반복되는 규칙을 찾아 선으로 묶으세요.

27일
66~67쪽

28일 묶는 크기 규칙

자동차의 크기 규칙을 찾아 묶어 볼까요?

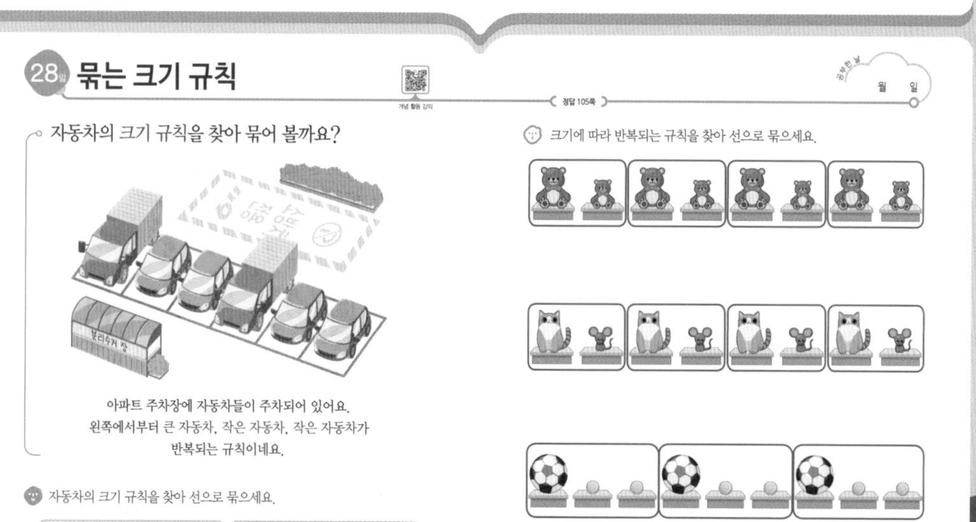

아파트 주차장에 자동차들이 주차되어 있어요.
왼쪽에서부터 큰 자동차, 작은 자동차, 작은 자동차가
반복되는 규칙이네요.

자동차의 크기 규칙을 찾아 선으로 묶으세요.

크기에 따라 반복되는 규칙을 찾아 선으로 묶으세요.

28일
68~69쪽

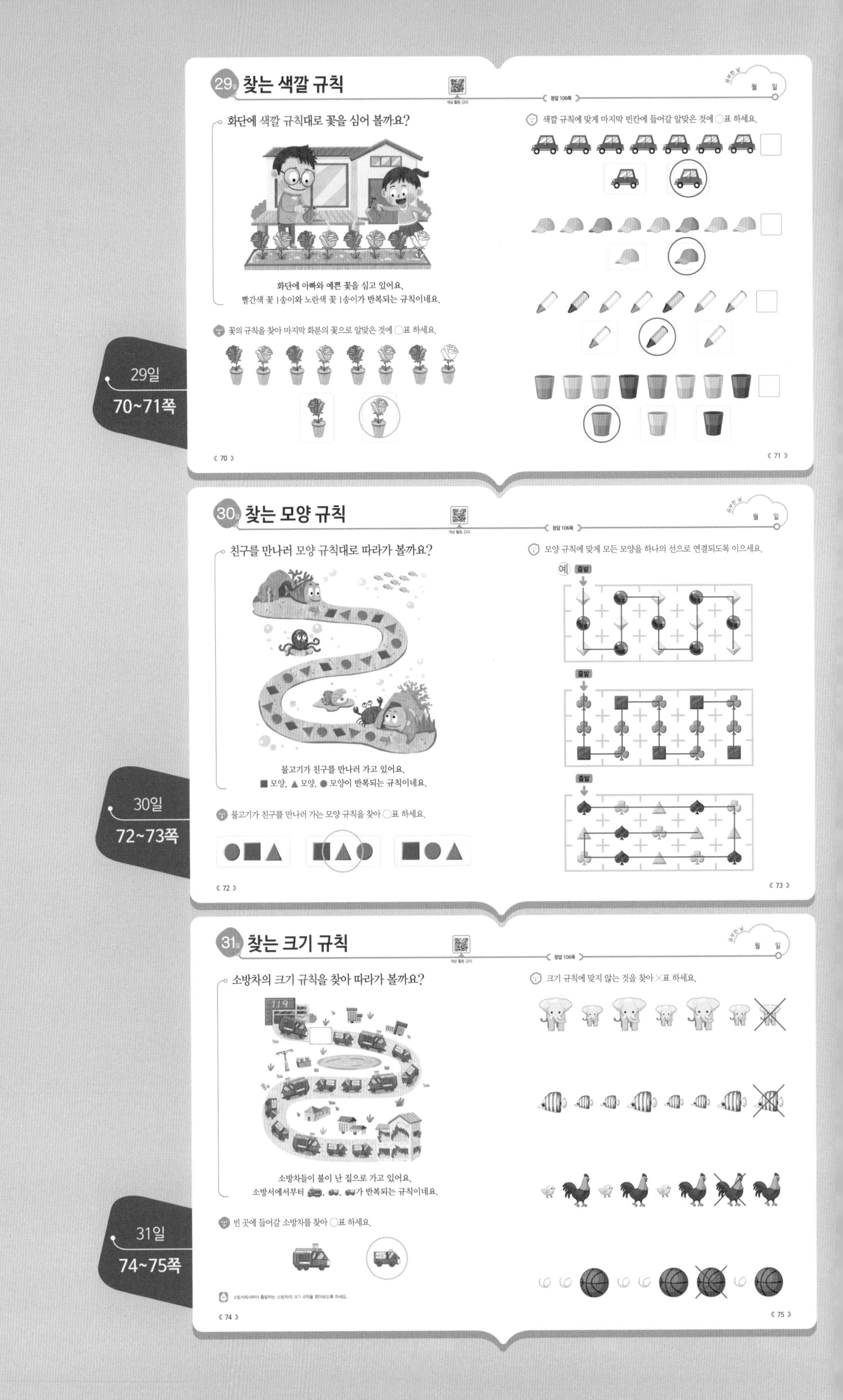

29일
70~71쪽

29일 찾는 색깔 규칙

정답 106쪽

공부한 날 월 일

화단에 색깔 규칙대로 꽃을 심어 볼까요?

화단에 아빠와 예쁜 꽃을 심고 있어요.
빨간색 꽃 1송이와 노란색 꽃 1송이가 반복되는 규칙이네요.

꽃의 규칙을 찾아 마지막 화분의 꽃으로 알맞은 것에 ○표 하세요.

색깔 규칙에 맞게 마지막 빈칸에 들어갈 알맞은 것에 ○표 하세요.

‹ 70 ›

‹ 71 ›

30일
72~73쪽

30일 찾는 모양 규칙

정답 106쪽

공부한 날 월 일

친구를 만나러 모양 규칙대로 따라가 볼까요?

물고기가 친구를 만나러 가고 있어요.
■ 모양, ▲ 모양, ● 모양이 반복되는 규칙이네요.

물고기가 친구를 만나러 가는 모양 규칙을 찾아 ○표 하세요.

모양 규칙에 맞게 모든 모양을 하나의 선으로 연결되도록 이으세요.

예 출발

출발

출발

‹ 72 ›

‹ 73 ›

31일
74~75쪽

31일 찾는 크기 규칙

정답 106쪽

공부한 날 월 일

소방차의 크기 규칙을 찾아 따라가 볼까요?

소방차들이 불이 난 집으로 가고 있어요.
소방서에서부터 큰 소방차, 작은 소방차, 작은 소방차가 반복되는 규칙이네요.

빈 곳에 들어갈 소방차를 찾아 ○표 하세요.

소방서에서부터 출발하는 소방차의 크기 규칙을 찾아보도록 하세요.

크기 규칙에 맞지 않는 것을 찾아 ×표 하세요.

‹ 74 ›

‹ 75 ›

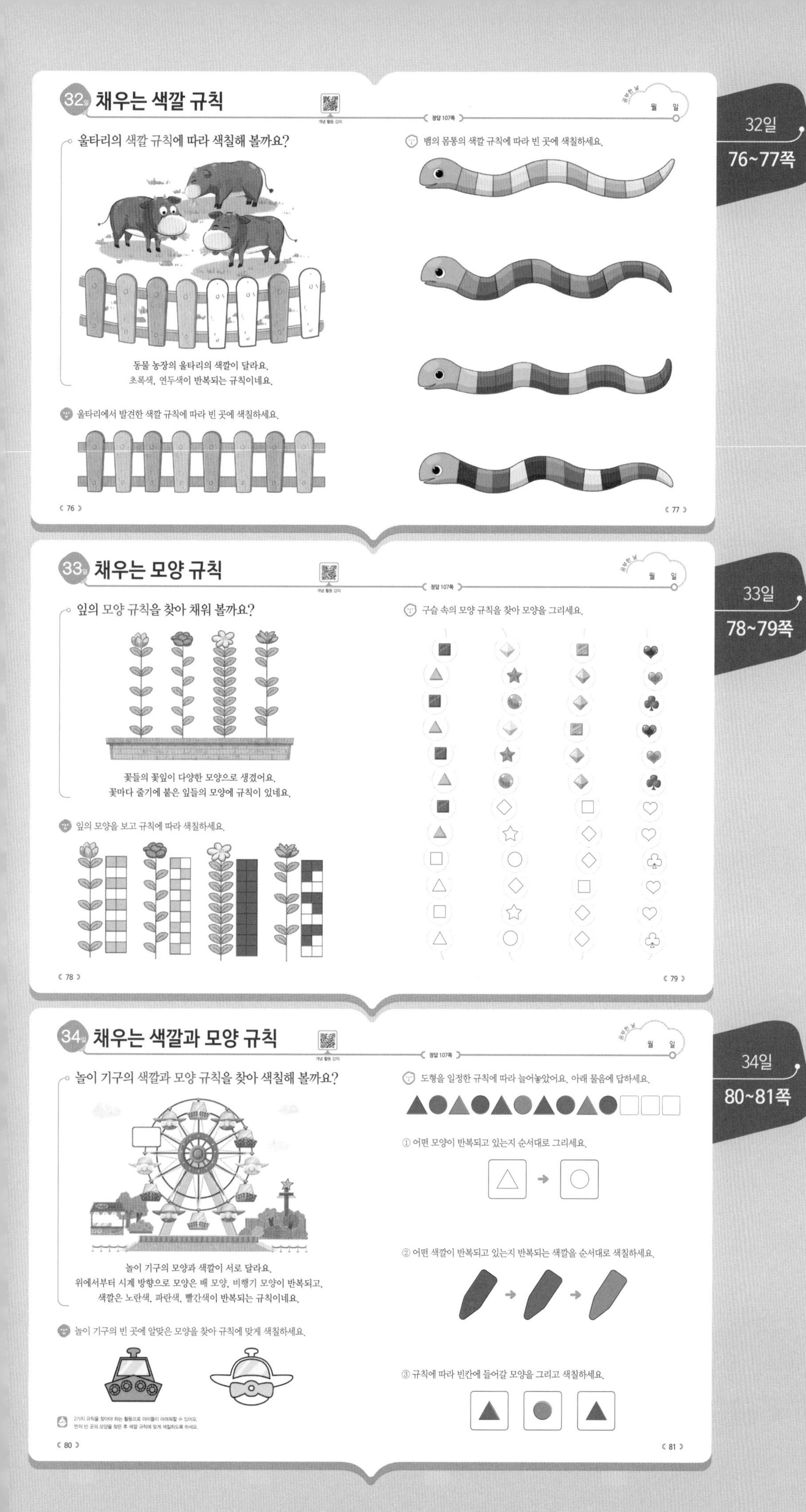

32일 채우는 색깔 규칙

정답 107쪽

울타리의 색깔 규칙에 따라 색칠해 볼까요?

동물 농장의 울타리의 색깔이 달라요.
초록색, 연두색이 반복되는 규칙이네요.

울타리에서 발견한 색깔 규칙에 따라 빈 곳에 색칠하세요.

뱀의 몸통의 색깔 규칙에 따라 빈 곳에 색칠하세요.

《 76 》 《 77 》

33일 채우는 모양 규칙

정답 107쪽

잎의 모양 규칙을 찾아 채워 볼까요?

꽃들의 꽃잎이 다양한 모양으로 생겼어요.
꽃마다 줄기에 붙은 잎들의 모양에 규칙이 있네요.

잎의 모양을 보고 규칙에 따라 색칠하세요.

구슬 속의 모양 규칙을 찾아 모양을 그리세요.

《 78 》 《 79 》

34일 채우는 색깔과 모양 규칙

정답 107쪽

놀이 기구의 색깔과 모양 규칙을 찾아 색칠해 볼까요?

놀이 기구의 모양과 색깔이 서로 달라요.
위에서부터 시계 방향으로 모양은 배 모양, 비행기 모양이 반복되고,
색깔은 노란색, 파란색, 빨간색이 반복되는 규칙이네요.

놀이 기구의 빈 곳에 알맞은 모양을 찾아 규칙에 맞게 색칠하세요.

도형을 일정한 규칙에 따라 늘어놓았어요. 아래 물음에 답하세요.

① 어떤 모양이 반복되고 있는지 순서대로 그리세요.

② 어떤 색깔이 반복되고 있는지 반복되는 색깔을 순서대로 색칠하세요.

③ 규칙에 따라 빈칸에 들어갈 모양을 그리고 색칠하세요.

《 80 》 《 81 》

32일
76~77쪽

33일
78~79쪽

34일
80~81쪽

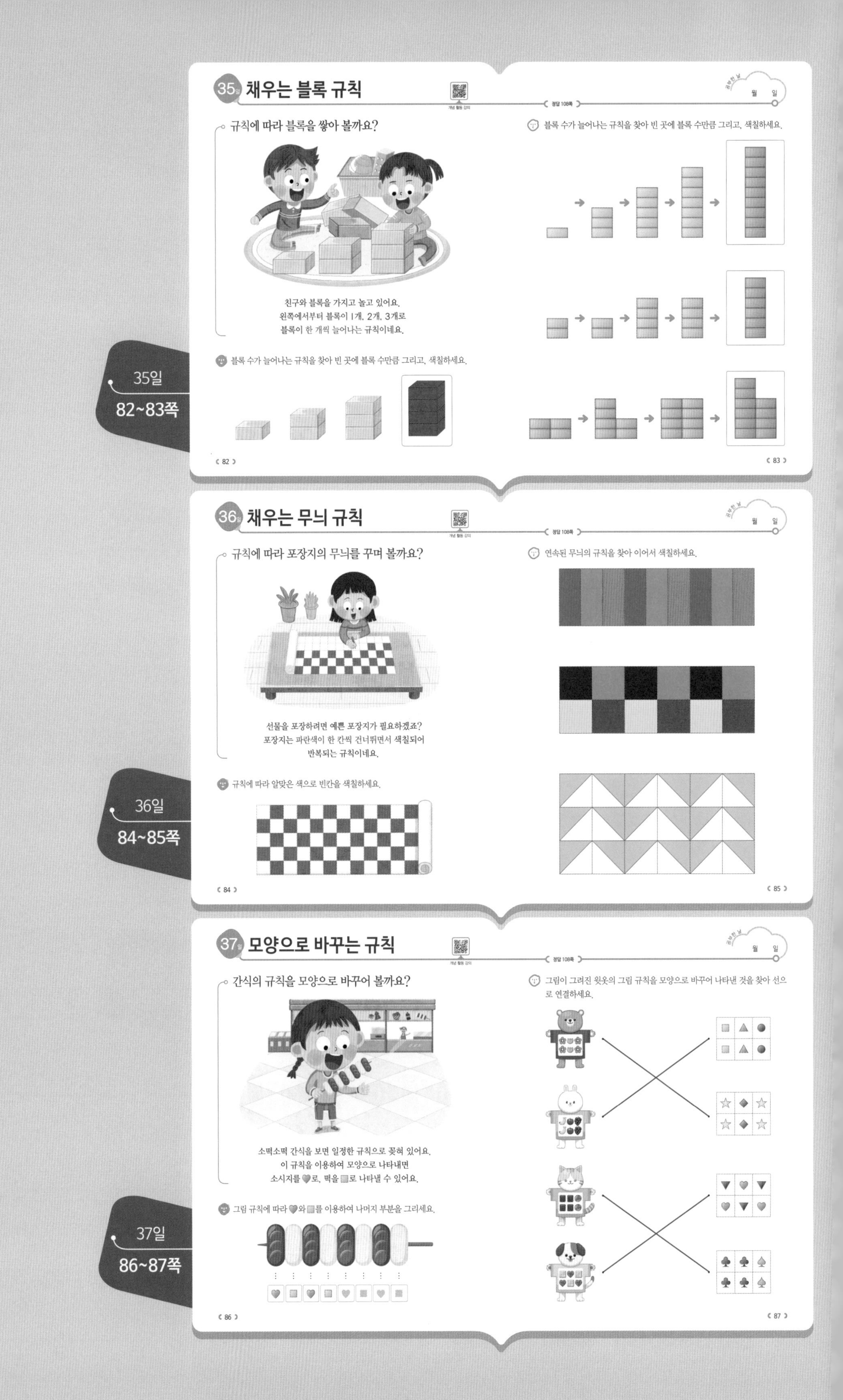

35일

82~83쪽

35일 채우는 블록 규칙

정답 108쪽

공부한 날 월 일

규칙에 따라 블록을 쌓아 볼까요?

친구와 블록을 가지고 놀고 있어요.
왼쪽에서부터 블록이 1개, 2개, 3개로
블록이 한 개씩 늘어나는 규칙이네요.

블록 수가 늘어나는 규칙을 찾아 빈 곳에 블록 수만큼 그리고, 색칠하세요.

블록 수가 늘어나는 규칙을 찾아 빈 곳에 블록 수만큼 그리고, 색칠하세요.

《 82 》 《 83 》

36일

84~85쪽

36일 채우는 무늬 규칙

정답 108쪽

공부한 날 월 일

규칙에 따라 포장지의 무늬를 꾸며 볼까요?

선물을 포장하려면 예쁜 포장지가 필요하겠죠?
포장지는 파란색이 한 칸씩 건너뛰면서 색칠되어
반복되는 규칙이네요.

규칙에 따라 알맞은 색으로 빈칸을 색칠하세요.

연속된 무늬의 규칙을 찾아 이어서 색칠하세요.

《 84 》 《 85 》

37일

86~87쪽

37일 모양으로 바꾸는 규칙

정답 108쪽

공부한 날 월 일

간식의 규칙을 모양으로 바꾸어 볼까요?

소떡소떡 간식을 보면 일정한 규칙으로 꽂혀 있어요.
이 규칙을 이용하여 모양으로 나타내면
소시지를 ♥로, 떡을 ■로 나타낼 수 있어요.

그림 규칙에 따라 ♥와 ■를 이용하여 나머지 부분을 그리세요.

그림이 그려진 윗옷의 그림 규칙을 모양으로 바꾸어 나타낸 것을 찾아 선으로 연결하세요.

《 86 》 《 87 》

38일 88~89쪽

38일 수로 바꾸는 규칙

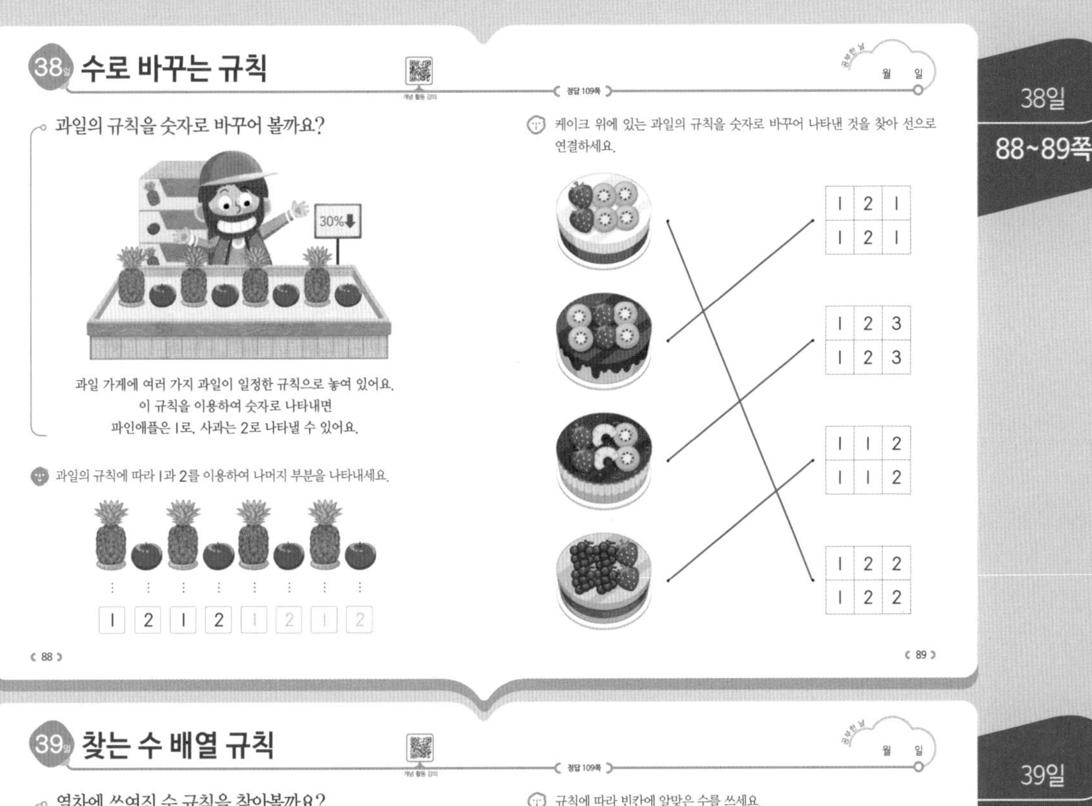

공부한 날 월 일

정답 109쪽

과일의 규칙을 숫자로 바꾸어 볼까요?

과일 가게에 여러 가지 과일이 일정한 규칙으로 놓여 있어요.
이 규칙을 이용하여 숫자로 나타내면
파인애플은 1로, 사과는 2로 나타낼 수 있어요.

과일의 규칙에 따라 1과 2를 이용하여 나머지 부분을 나타내세요.

1	2	1	2	1	2	1	2

케이크 위에 있는 과일의 규칙을 숫자로 바꾸어 나타낸 것을 찾아 선으로 연결하세요.

1	2	1
1	2	1

1	2	3
1	2	3

1	1	2
1	1	2

1	2	2
1	2	2

39일 90~91쪽

39일 찾는 수 배열 규칙

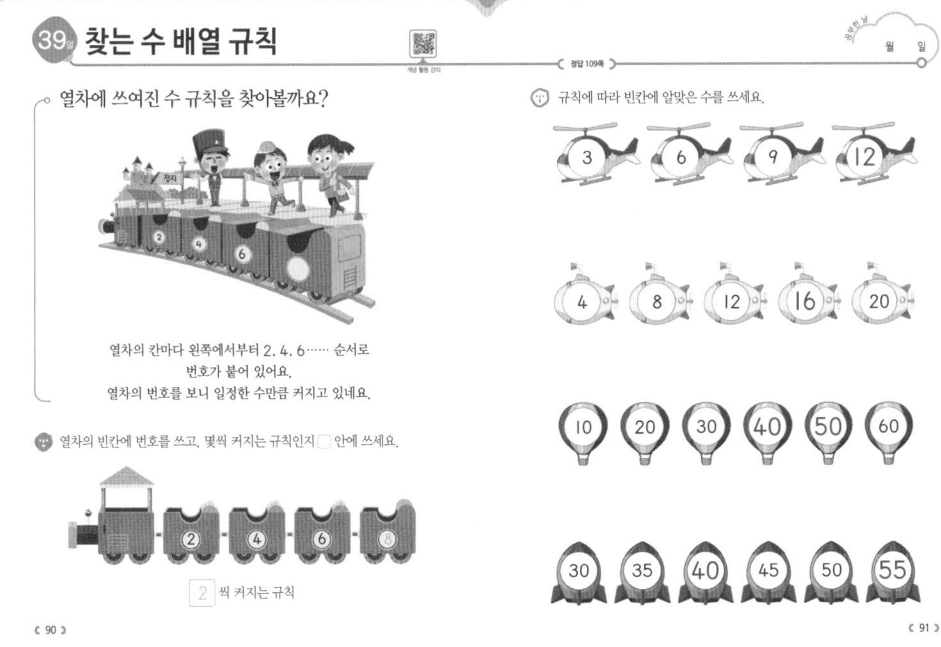

공부한 날 월 일

정답 109쪽

열차에 쓰여진 수 규칙을 찾아볼까요?

열차의 칸마다 왼쪽에서부터 2, 4, 6…… 순서로
번호가 붙어 있어요.
열차의 번호를 보니 일정한 수만큼 커지고 있네요.

열차의 빈칸에 번호를 쓰고, 몇씩 커지는 규칙인지 □ 안에 쓰세요.

2, 4, 6, 8

2 씩 커지는 규칙

규칙에 따라 빈칸에 알맞은 수를 쓰세요.

3, 6, 9, 12

4, 8, 12, 16, 20

10, 20, 30, 40, 50, 60

30, 35, 40, 45, 50, 55

40일 92~93쪽

40일 찾는 수 배열표 규칙

공부한 날 월 일

정답 109쪽

쿠키 모양으로 수 배열표의 규칙을 찾아볼까요?

1	2	3	4	5	6	7	8	9	10
11	12	13	14	15	16	17	18	19	20
21	22	23	24	25	26	27	28	29	30
31	32	33	34	35	36	37	38	39	40
41	42	43	44	45	46	47	48	49	50

1부터 50까지의 수가 쓰여 있는 쿠키가 쟁반 위에 놓여 있어요.
…에 있는 수는 1부터 오른쪽으로 1칸 갈 때마다 1씩 커져요.
…에 있는 수는 5부터 아래쪽으로 1칸 갈 때마다 10씩 커져요.

빨간색 점선 규칙과 파란색 점선 규칙 이외에 다양한 규칙을 아이가 찾아보도록 해 보세요.

수 배열표를 보고 규칙에 따라 빈칸에 알맞은 수를 쓰세요.

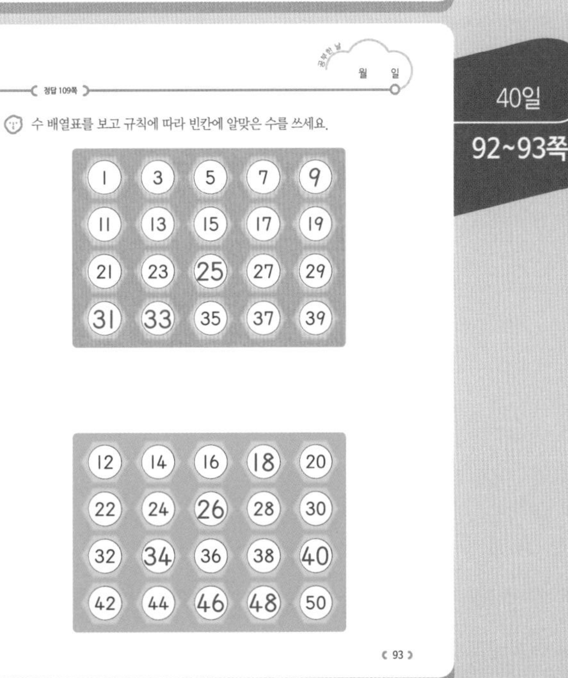

1	3	5	7	9
11	13	15	17	19
21	23	25	27	29
31	33	35	37	39

12	14	16	18	20
22	24	26	28	30
32	34	36	38	40
42	44	46	48	50

메모

메모

메모

참 잘했어요

이름

위 어린이는 7세 초능력 도형·비교·시계·규칙 2권을

성실하고 훌륭하게 마쳤습니다.

이에 칭찬하여 이 상장을 드립니다.

년 월 일